CORÍN TELLADO

Me dejaron con él

Título: Me dejaron con él

Barquillo, 21. 28004 Madrid (España) www.puntodelectura.com

ISBN: 84-663-0982-9
Depósito legal: M-18.143-2003
Impreso en España – Printed in Spain

Cubierta: MRH
Fotografía de cubierta: STOCK PHOTOS
Diseño de colección: Ignacio Ballesteros

Impreso por Mateu Cromo, S.A.

Hay hombres que disimulan tan fuertemente,
que aun ellos mismos creen lo que fingen.

A. DE LA PARRA

1

Siempre le asaltaba como un íntimo dolor.

Tal vez eran figuraciones suyas. Desde un principio el mismo día, incluso, que regresó de Santa Fe, y su hermano le presentó a su jefe, sintió ella la sensación de un terrible pecado bajo la mirada de Omar Moore.

Hacía aproximadamente dos meses que regresó del colegio. En realidad, no es que ella estuviera internada como una simple colegiala. Vivía en aquel colegio, por supuesto, pero estudiaba en la Universidad y tenía sus amigos, sus amigas, sus conocidos, sus tertulias...

Fue a la muerte de su padre, cuando su hermano dijo: «Es mejor que te vengas a vivir con nosotros». Y allí estaba, en el no muy grande pueblo de Prescott, un pueblo minero que casi pertenecía por completo a Omar Moore.

En aquel instante, ella dejó de pensar, porque la voz de Renata llamaba.

—Ya voy, Renata —dijo.

Salió de su alcoba, no sin antes lanzar una larga mirada sobre el paisaje que se divisaba a través de la ventana de su alcoba.

Casas pequeñas, parques cuidados, y allá arriba, como un imperio, las minas de cobre de los Moore...

Aquel nombre resultaba algo así como una pesadilla. Una bobada. Seguro que no era más que una bobada o un presentimiento malo.

Cuando se lo confió a Roger, éste se echó a reír.

«Si hay en Prescott una persona digna de ser admirada y valorada, es Omar Moore. Que no se te ocurra pensar cosas raras de un hombre tan completo, perfecto y caballeroso como él.»

Todo lo que quisiera Roger. Al fin y al cabo, Roger Sellers era asesor jurídico de la gran empresa minera de Omar Moore. Y su hermano Kirt igualmente ingeniero de la misma sociedad. Casi tan dueño como el mismo Omar...

¡Qué podían decir ellos si dependían de Moore!

—¿Vienes, Ingrid?

—Sí, sí, Renata.

Apareció en lo alto de la escalera de madera. Miró hacia el vestíbulo. Ancho y grande. Vivía bien su hermano. Además, Kirt se lo merecía. Era un hombre excelente y Renata, su joven esposa, digna, de verdad, de admiración.

—Te estamos esperando para comer, Ingrid.

Ya lo sabía.

Como también sabía que Omar Moore estaba invitado...

Claro que aquello era habitual. Omar, además de jefe, por lo visto era amigo íntimo de Kirt y Renata.

¿Por qué tenía ella que pensar cosas raras de aquel hombre? Nadie las pensaba. Cuando alguien pronunciaba el nombre de Omar, todo el mundo guardaba después un minuto de silencio, como si así lo reverenciaran mejor.

Si ella dijera a su hermano o a Renata, lo que pensaba del reyezuelo... la llamarían insensata, injusta, visionaria, y seguramente que hasta cruel.

Tal vez lo fuese.

Tal vez se equivocara, pero el caso es que ella había estudiado seis cursos de sicología en el colegio seglar de Santa Fe, y no creía haber estudiado en vano.

Se alzó de hombros y bajó a paso lento.

Vestía un modelo de mañana, de tonos claros, algo holgado y atado a la cintura por un cinturón del mismo tejido que el vestido. De corte camisero, juvenil, le daba aún menos edad de la que tenía. Calzaba zapatos muy apropiados al vestido, casi sin tacón, acentuando si cabe su esbeltez.

No era Ingrid Lewis una belleza. En modo alguno. Tenía la nariz algo respingona, los pómulos salientes, dando a su rostro un exotismo especial. Los ojos grises, muy claros, el cabello rojizo, en aquel momento atado tras la nuca, como si no le interesara en modo alguno gustar a nadie. Pero lo cierto es que gustaba, aunque ella no se lo propusiera. Y gustaba más por su personalidad, por su clase depurada, por la sensibilidad que se adivinaba en ella, que por su belleza física, pues la verdad es que, si bien le sobraba atractivo, no estaba tan sobrada de belleza.

Atravesó el vestíbulo y se dirigió al salón. En seguida vio a Omar. Vestido de claro, con su polo azul, su traje de un beige casi blanco, su aspecto de deportista... El rubio cabello liso y seco, peinado como al descuido, pero nada descuidado. Sus ojos verdosos penetrantes... Sí, sí, terriblemente penetrantes.

Desnudaban al mirar, pero, por lo visto, ni Renata ni Kirt, ni siquiera Roger, se habían percatado de ello.

Para ellos, los tres, y muchísimos más que vivían de sus propiedades, Omar era como un dios. Ella no tenía motivos para pensar lo contrario, y sin embargo... lo pensaba y que nadie le preguntara qué causas concretas tenía para hacerlo.

Al verla en el umbral, tanto Kirt como Omar, se levantaron obsequiosos.

Ella avanzó, saludó a Omar con la cabeza, muy brevemente, y después fue hacia su hermano, a quien besó en ambas mejillas. Casi en seguida, antes de que pudiera decir nada, apareció Renata saludando.

—Hola, Omar —y mirando a su cuñada—: se te pegan las sábanas, ¿eh?

—Un poco.

—¿Sabes que Omar nos está invitando a una fiesta que da esta noche en su mansión?

Rápidamente miró a Omar.

Se topó con su expresión... ¿beatífica?, su sonrisa a medias, su impasibilidad.

—Bueno.

—Omar se quedará a comer con nosotros. ¿Pasamos al comedor? —indicó Kirt.

Los cuatro pasaron.

Omar iba a su lado. La miró de forma aparentemente casual.

—Me dijo Kirt que quieres trabajar.

Con él, no.

Pero desde aquel mismo momento supo que lo haría, porque Omar lo había decidido así, y Kirt lo admitía sin remisión.

—Tienes un empleo de secretaria mía, en mi despacho de las minas.

Claro.

¿No sería ella demasiado mal pensada?

Fue una comida sosa.

Al menos para ella, que se limitó a responder breve y concisamente.

Se habló de su empleo, pero no se hizo demasiado hincapié en ello. Kirt, su hermano, como ingeniero jefe de aquel imperio, dijo que podía trabajar con él, pero sería mejor que lo hiciera en el despacho de Omar, porque ella conocía bien el francés y el español, y Omar necesitaba en su despacho un buen traductor.

No obstante, nadie determinó día ni hora para su comienzo, y cuando Omar se despidió diciendo que no se olvidaran de asistir a la fiesta que daba aquella noche, ella se quedó hundida en el diván, en un rincón del salón, adonde su cuñada fue a interrogarla cuando ambas quedaron solas, pues Kirt se fue con Omar.

—No pareces muy satisfecha, Ingrid.

—¿De qué?

—De vivir en Prescott, de trabajar... Tú misma lo pediste la semana pasada. Se lo has dicho a tu hermano, y como es lógico, él habló con Omar.

—Ya.

—¿No te sientes bien, Ingrid?

Se sentía mejor que nunca.

Era aquel presentimiento martilleante.

Algo obsesivo, seguramente sin razón.

¿Todo lo pensaba ella por la forma de mirar de Omar?

—Omar parece un buen jefe —dejó caer.

Renata se entusiasmó.

—Imagínate. Nosotros estamos como locos de contentos. Cuando Kirt y yo nos casamos, ¿recuerdas?

Claro que lo recordaba. Fue dos años antes. Ella, desde Santa Fe, acudió a la boda y regresó al día siguiente.

—Omar ya fue nuestro padrino.

En eso sí que no se fijó.

No reparó en Omar. Sabía que Omar era dueño absoluto de las minas, pero nada más.

—Entonces vivía el padre de Omar, y Kirt era en las minas un ingeniero más. Cuando falleció mister Moore, tan repentinamente, Omar pasó a ocupar el puesto de jefe y dueño absoluto, y como era amigo de Kirt, lo nombró jefe. Después de Omar, el jefe allí es Kirt. Es decir, cuando Omar se va de viaje, y se va muy frecuentemente, Kirt asume toda la responsabilidad. Gana mucho, ¿sabes? No tengo por qué ocultártelo. Además es íntimo amigo de Omar...

—Claro.

—Lo dices sin convicción.

—Oh, no —exclamó sin entusiasmo—. Lo digo porque me parece lo más natural. Kirt es un gran ingeniero y un fiel amigo...

—Ciertamente. Por otra parte, Omar es un hombre moral, fabuloso. Lástima que aún esté soltero. Merece disfrutar de una familia, tener muchos hijos, y que le admiren tanto como le admiran sus empleados —y Renata, entusiasmada, seguía hablando—: Otro en su lugar, se preocuparía menos, pero Omar goza de un gran afecto por parte de todos sus empleados, y una gran admiración. No lejos de las minas, ha levantado escuelas para los hijos de sus empleados. Hospitales, clubs, casas donde viven obreros y trabajadores, chalecitos para los altos jefes. Eso es ser un jefe admirable.

—Claro.

Fumaba y oía a Renata.

La verdad es que no podía dudar de cuanto decía su cuñada, porque lo veía ella misma. Era tal cual explicaba Renata, pero...

—¿Cuándo empezarás a trabajar?

—¿Cuándo?

—Eso te digo. Le has dicho a Kirt que sin hacer nada te aburres, entonces Kirt se lo dijo a Omar, y entre los dos han decidido que trabajes de secretaria de Omar.

—¿Y por qué no de Kirt?

Renata la miró desconcertada.

—Ya la tiene. Por otra parte, quien necesita un traductor es... Omar.

—Claro.

—Dices un claro más raro...

El tiempo diría por qué ella pronunciaba aquel claro más bien despectivo.

Se puso en pie y consultó el reloj.

—Voy a dar un paseo, Renata. Empezaré a trabajar cuando Kirt y su jefe lo decidan. Ahora mismo voy a salir, porque estoy citada con Roger Sellers.

—¿Te gusta Roger?

—¿Por qué no? Es un buen amigo.

—No, no digo de esa manera.

—Pues no hay de otra. Vosotros, cuando veis a dos personas de distinto sexo salir juntas ya imagináis un compromiso sentimental. Pues de eso no hay nada.

2

Desde hace un tiempo, apenas si vienes por aquí.

Omar miraba a lo alto. Tenía un cigarrillo entre los labios, ascendía la espiral y él cerraba un ojo. Tendido en un diván, se diría que la presencia de la mujer le tenía sin cuidado.

Magda, arrodillada a sus pies, de vez en cuando le acariciaba la cara, pero Omar no le prestaba ninguna atención.

Pensaba.

Y sus pensamientos debían de ser muy interesantes, a juzgar por el inusitado brillo de su mirada gris.

—Ya no te intereso, ¿verdad, Omar?

¿Interesarle? Bah.

—Me gustaría que todos esos que tanto te admiran, conocieran tus malas mañas.

Omar rió.

Una risa ahogante.

Una risa cínica.

—Soy el hombre más perfecto de la creación, Magda —dijo—. ¿Te atreves a dudarlo?

Magda se menguó.

Era una mujer hermosa. Muy hermosa, pero en los rasgos de su cara se apreciaba como una dilatación sexual. Su indumentaria era casi exagerada, y sus carnes al descubierto, con abundancia desde luego, daban lugar a pensar muchas cosas poco gratas.

—Sólo vienes aquí cuando realmente me necesitas.

—¿Y te parece poco?

—¿Saben tus amigos, tus empleados, todos esos que te admiran considerándote un tipo perfecto, que tienes una amante cada semana?

—No seas vulgar, Magda.

La aludida estaba a punto de estallar.

—Hace sólo un año —dijo sin estallar del todo, pero sin poder evitar añorar sus tiempos de muchacha honesta— era tu secretaria. Nunca pensé faltar a mis deberes morales, Omar. Tú eres inteligente y debes saberlo. Contaba tan sólo veinte años cuando entré en tu despacho...

—Vamos, vamos, Magda. ¿Qué te falta?

—Todo.

Omar levantó levemente una ceja.

—¿Sí?

—Sí, todo. Me falta la estimación de los demás. Me falta tu cariño verdadero. Dijiste que ibas a casarte conmigo...

Omar saltó del diván y procedió parsimonioso a ponerse la chaqueta.

Tenía aspecto cansado.

Se diría que todo aquello le resultaba tremendamente vulgar, y no se daba cuenta de que el primer vulgar del juego era él mismo.

—Nunca me gustaron las lamentaciones, Magda. ¿Quieres dejar Prescott?

—O sea, que te has cansado de mí.

Omar hizo un gesto vago.

No es que se hubiese cansado de ella. Para todos los días no la quería. De vez en cuando, era divertida y apasionada, pero él tenía demasiadas horas de vuelo para ignorar que una mujer despechada era capaz de todo, y él tenía demasiado prestigio en la ciudad y entre sus empleados y amigos para perderlo por una muchacha como aquella, que pretendía nada más y nada menos, que convertirse en la señora Moore.

—Mañana te mandaré un buen regalo —dijo como si se cansara de la polémica—. Te irás a Méjico.

—¿Hiciste así con todas las otras?

—Magda, no me agrada tu modo de hablar.

—Es que yo... yo...

¿Iba a llorar?

No le faltaba más que eso.

Si algo detestaba él era el llanto de una mujer.

—No me canses, Magda.

—Ya no me amas.

—¿Qué es el amor, Magda?

—¿Qué dices?

—Eso —se iba hacia la puerta, pero de repente se volvió, metió la mano en el bolsillo y sacó una chequera. Garabateó en ella y arrancó un talón—. Vete esta misma noche, Magda.

La joven dudó antes de agarrar el cheque, pero de súbito bailaron en sus ojos aquellos números. Era una fortuna. ¿Despreciarla?

Después de haberse convertido en lo que era, lo mejor sería aceptar y largarse.

Tal vez pudiera llevar una vida decente en algún otro lugar del mundo.

—Vamos, pues. Toma, antes de que me arrepienta. Deja el apartamento, ¿eh? Me gusta tenerlo libre.

Magda agarró el cheque y lo hizo desaparecer en el bolsillo de su pijama.

—Traerás aquí a otra. ¿Cuántas has traído antes?

Omar no la oía.

Era muy distinto aquel Omar del hombre amable, digno, caballeroso y generoso que conocían Kirt y Renata y todos los demás.

En aquel instante su semblante era duro, frío, despiadado.

—Eso —dijo alcanzando la puerta— que te tenga sin cuidado. Ah, y si te vas de la lengua... no me costará ningún trabajo meterte en la cárcel. Ya sabes.

—Es tu método.

—Cada uno usa el que mejor le parezca. Ya lo sabes.

Claro que lo sabía.

Por eso, cuando la puerta se cerró, se apresuró a hacer sus maletas.

No quería problemas. Lo conocía bien. Sabía que era capaz de todo.

Media hora después, salió de la casa con las maletas y buscó un taxi. No tardó mucho en entrar en la tienda de Pat.

—Oye —exclamó Pat, que ignoraba sus relaciones con el poderoso Omar Moore— ¿adónde vas tú con todo eso?

—A Méjico.

—Pero... ¿por qué?

—Prefiero abrirme camino lejos de aquí.

Pat, que vendía puntillas y alfileres y era feliz en Prescott, dijo pesarosa.

—No pararás en ningún sitio, Magda. Tienes el mejor empleo del mundo. Casi nada. De secretaria con el hombre más noble y digno de Prescott.

Magda volvió la cara.

¿Qué pasaría si ella le dijera, que el tal ser digno y noble, era un vil canalla?

—No has aguantado allí —decía Pat sin dejar de medir puntilla—. No me explico qué es lo que tú buscas en la vida.

—No lo sé.

—¿Volverás?

—¿Volver? —y pensó en cómo Omar la metería en la cárcel sin ningún miramiento—. No, no volveré.

—No te entiendo. Te aseguro que no te entiendo—. Ella sí se entendía.

—Todas las muchachas de Prescott están deseando un empleo como el que tú tenías. A propósito. ¿Dónde te has metido todo este último año? Porque te busqué en la fonda y no te encontré.

—Viví en un apartamento alquilado —mintió.

—¿Y con qué lo pagabas?

—Con mis ahorros.

—Claro. Debiste conservar el empleo. Cualquier muchacha del estado de Jabapai, está deseando entrar en ese despacho de mister Moore.

Magda agarró su maleta y su saco de viaje y decidió irse, porque si se quedaba un minuto más allí, le diría a su amiga Pat todo lo que pensaba del tal mister Moore. Y seguro que Pat no la creería, y encima la llamaría embustera.

—Hasta no sé cuándo, Pat.

—¿Le has dicho a mister Moore que te vas?

—Claro.

—Él pensará que el mundo está lleno de ingratitudes.

—Seguro...

Y se lanzó a la calle casi llorando.

Roger Sellers era un muchacho de apenas veinticinco años, la carrera de leyes recientemente terminada e instalado ya como asesor jurídico en el despacho destinado a tal fin en las minas de Moore.

En aquel instante en que ya había dejado el trabajo, entraba en el club al encuentro de su amiga Ingrid.

La verdad es que él estaba muy enamorado de Ingrid.

Cuando Ingrid tenía quince años, ya él estaba interesado por ella. Pero nunca se atrevió a decirle nada por temor al fracaso, y además, en aquella época, Ingrid era una chiquilla. Más tarde,

Ingrid se fue a Santa Fe a terminar sus estudios, y a la sazón, ya de regreso y por lo que parecía, dispuesta a quedarse en Prescott, era sin duda una posibilidad bastante probable para el futuro, porque él, dicho en verdad, ya tenía mucho más que ofrecerle.

Ingrid entró mirando a un lado y a otro, y al ver a Roger fue directamente a su lado. Roger le salió al encuentro y apretó sus dos manos.

La miró largamente.

—¿Hace mucho que esperas, Roger?

Tenía Ingrid una voz cálida. Algo pastosa, algo... ¿emotiva? Ingrid era una chica emotiva y personal y sensible.

—Un cuarto de hora, Ingrid.

—Lo siento. Renata me retuvo. ¿Nos sentamos?

—Tengo una mesa allí al fondo.

Fueron ambos.

Roger le iba hablando.

—Por lo visto, vas a empezar a trabajar.

—Sí.

—Me alegro mucho. No creas que será un trabajo fácil. En su despacho, Omar Moore debe ser bastante exigente, porque le duran poco las secretarías.

—¿Sí?

—¿Por qué me miras de ese modo?

—No sé. Siendo, como todos decís qué es, tan

amable, comprensivo y humanitario, era raro que no le duren las secretarias.

—Casi todas tienen faltas de ortografía. Y Moore es con lo que no transige.

—Ah... —se sentó—. Yo no tengo faltas. Yo domino la gramática como me domino a mí misma.

—¿Te dominas mucho?

—Lo que quiero —dijo, y riendo—: No me mires así, Roger.

—Ya sabes lo que siento.

—Olvida eso.

—¿No piensas nunca en ello?

—No lo sé, Roger.

El camarero llegó preguntando qué deseaban.

—Yo un té con limón —dijo Ingrid.

—Un té y un whisky —indicó Roger al empleado, y cuando éste se hubo alejado—: ¿Cuándo empiezas a trabajar?

—Pasado mañana —sin transición—: ¿Vas esta noche a la fiesta de Moore?

—Claro. Sería una ofensa que yo no asistiese.

—Yo no voy.

Roger dio un salto.

—¿Se lo has dicho a Kirt y a Renata?

—No. Pero se lo diré esta misma noche.

—Les parecerá muy mal, y no te digo nada cómo le sentará a Omar Moore. Él da una fiesta cada dos meses con el fin de hacer más íntima la comunidad que supone su sociedad. Le gusta ser amigo de todos sus empleados. Es un hombre excelente, Ingrid. Tú aún no le conoces.

Iba a conocerlo bien viviendo a su lado. No sabía aún por qué su hermano era tan ciego y la dejaba con él, con Omar.

—No tengo buena opinión de Omar Moore —dijo sin preámbulos.

Y como no era la primera vez que hablaba de aquello con su fiel amigo Roger, esperó su pronta réplica, que, como suponía, no tardó en producirse, casi en un airado estallido.

—Pero, Ingrid, ¿en qué te basas?

—No lo sé.

—¿Por tu sicología?

—Tal vez.

—Es absurdo. Desde el comisario de Policía, alcalde y al último bombero de Prescott, te dirán que Omar Moore es el hombre más perfecto de cuantos existen en el estado de Jabapai. Algo más te diré para convencerte. Jamás dejó de escuchar una queja. Ayuda a todo el mundo. Sus secretarias, cuando se casan, porque muchas de ellas se han casado en seguida, reciben de él una dote espléndida. Es hombre moral. Jamás se le conoció una mala costumbre. Y al fin y al cabo tiene sólo veintiocho años, y bien podría tener una amante o un amorío, o algún asuntillo de ese tipo. Él, nada.

El camarero depositaba sobre la mesa lo pedido y la joven azucaró el té.

Tal vez tuviese razón Roger. Tal vez fuese una tonta intuición suya.

Y ella sólo lo presumía, todo lo que presumía con respecto a Omar, por la mirada de sus ojos y la forma de mover los labios, pues parecía que siempre estaba dando un beso pecador.

No era, además, tan sólo por la forma de mirarla a ella. Es que cuando Kirt estaba presente, los ojos de Omar parecían mansos y suaves e inofensivos. Pero cuando sabía que nadie le observaba... ya no miraba de la misma manera.

Por otra parte, varias veces le sorprendió siguiendo con los ojos a una mujer..

Se alzó de hombros.

—Has de saber —seguía Roger casi ofendido— que todos los padres de hijos de la edad de Omar Moore, ponen de ejemplo a éste. Está cargado de dinero. Mover un dedo y tener a sus pies una fortuna, es todo uno. ¿Y qué hace él? Nada. Vive en su principesca mansión, rodeado de criados que ya lo fueron de sus padres. Ni una noche fuera. Ni una mala costumbre. Nada. No me explico por qué a ti se te metió eso en la cabeza.

—Tal vez son figuraciones mías —comentó por evitar polémicas inútiles.

El tiempo diría lo demás.

La verdad de todo aquello.

O tal vez no lo diría nunca el tiempo, ni ella, ni nadie.

Tenía Omar Moore demasiado poder en Prescott, para que alguien fuese tan valiente que le delatase.

—Sólo una secretaria, en cinco años, le faltó a Omar Moore —decía Roger ajeno a los pensamientos de su amiga—. Robó en el despacho.

—¿Robó? ¿Estás seguro?

—Hombre, no lo voy a estar, si ella fue a la cárcel. ¿Y sabes lo que se atrevió a decir? Que aquel dinero se lo dio Omar Moore por su gusto. ¡El colmo! Era una fortuna.

Ingrid frunció el ceño.

O ella era tonta, y no lo era, o mister Moore fracasó con aquella secretaria y recibió su merecido, aunque, dada la influencia del millonario, natural era que todas las de perder las llevara la secretaria, a quien seguramente dio Omar un dinero por algo concreto y sucio, y a la hora de la verdad se lo negó...

Pero se quedó con el dinero.

Se echó a reír.

—¿De qué te ríes?

—De nada. ¿Y qué fue después de la secretaria?

—Se la juzgó como merecía, y al poco la llevaron a una cárcel de Santa Fe. La verdad es que no supe más de ella.

—¿No sabes cómo se llamaba?

—No lo recuerdo. ¿Y a ti qué más te da?

—No, nada —consultó el reloj—. ¿Nos vamos, Roger? Si es que has de asistir a la fiesta que ofrece tu jefe... va siendo hora de regresar.

Cuando Ingrid llegó a casa, Renata y Kirt se preparaban. Al verla a ella, Renata le gritó.

—Anda lista. Omar acaba de llamar y nos pide que vayamos a ayudarle a recibir a los empleados invitados.

—¿Y qué esperáis?

Apareció Kirt haciéndose el lazo de su corbata.

—Por ti.

—Yo no voy.

—¡Ingrid!

—¿Estás loca?

Las dos exclamaciones fueron casi simultáneas.

Pero Ingrid no se inmutó.

—Me duele la cabeza —dijo como pretexto, y eso que ella era clara como el agua, y los pretextos falsos la sacaban de quicio, pero prefirió que Renata y Kirt no se pusieran furiosos, si ella les decía la verdad—. No seré capaz de oír música esta noche.

Kirt empezó a sudar.

—Oye, Ingrid, por el amor de Dios, no puedes hacer eso. Vas a trabajar pasado mañana con

Omar. Y todos los empleados están obligados a asistir a esa fiesta. Él la da para nosotros, para todos sus empleados. No entran en sus salones ni un sólo tipo particular.

—Lo siento.

—Ingrid —se sofocó Renata— Omar pensará que le desprecias.

Ingrid arqueó una ceja.

—¿No es tan comprensivo y considerado?

—¿Es que lo dudas, hermana?

—Dios me libre. Pero me digo yo que si es tan considerado, humanitario y comprensivo, comprenderá los motivos que tengo yo para irme a la cama.

—Claro que lo comprenderá, pero... yo te suplico, hermana, que hagas un esfuerzo.

—Lo siento, Kirt. Iré a la próxima.

—Pero...

Palmeó el hombro de Renata.

—Tú estáte tranquila, querida. Mister Moore es un hombre fabuloso y comprenderá... Otra cosa sería si nos topáramos con un tipo soberbio y vanidoso y cruel...

—Explícaselo tú, Kirt. Tal vez tenga razón Ingrid.

—Pero no está bien.

—De todos modos, no malgastemos el tiempo. Yo no voy a ir. De modo, Kirt, que sigue el consejo de tu mujer, y busca palabras adecuadas para disculparme.

3

Sentí mucho que no asistieras a mi fiesta...

No lo sintió llegar.

Por eso, porque estaba sentada tras su pequeña mesa escritorio, al oír su voz elevó la cabeza, y sus ojos tropezaron con la mirada impasible de Omar.

Por supuesto, en aquel instante, no pensó en el pecador que se ocultaba bajo aquellos ojos verdosos. Eran afectuosos, inmóviles... normales.

—Estaba indispuesta —dijo.

Y empezó a trabajar de nuevo.

—Ya me lo dijo tu hermano. Fue una fiesta brillante. Todo el mundo se divirtió.

—Me alegro —y sin transición añadió—: he puesto en limpio todo lo que encontré sobre mi mesa. Como aún estoy desorientada, espero me disculpe si aún no soy del todo correcta.

—Puedes tratarme de tú.

—¿...

Le interrogaba mirándole de nuevo.

Omar sonrió beatíficamente.

Tenía veintiocho años, pero en aquel instante nadie lo diría. Se le podían calcular más de treinta, por la expresión madura de su semblante. Madura y plácida.

—Todos mis altos empleados me tratan así —añadió sin que ella preguntara, pero siendo lo bastante expresiva con la interrogante de sus pupilas—. Me refiero a tu hermano, a su esposa, a Roger y todos los demás que se sientan en despachos individuales. Cuánto más tú, que eres hermana de mi primer jefe.

—No me gusta tratar de tú a mi jefe —dijo un tanto seca.

Ahora fue Omar quien levantó una ceja.

Era un hombre no demasiado alto, bien proporcionado, con aspecto de deportista. Tenía el cabello de un rubio oscuro, verdosos los ojos, grande la boca, relajado el labio inferior un poco hacia abajo. Vestía correctamente, pero sin excesiva elegancia. Más bien con soltura y deportividad. Un pantalón gris, una chaqueta de ante negra, un suéter sin corbata de color blanco...

—De todos modos, yo prefiero que lo hagas. A mí me gusta que la gente se sienta cómoda en mi empresa... Esto, más que una sociedad individual, es como una comunidad. Entiende eso.

—De todos modos.

—¿Vamos a discutir por eso?

—Espero que no discuta usted.

—¿Y si lo hiciera?

—Lo sentiría.

—O sea, que… no estás dispuesta a cejar.

—No soy terca, si se refiere a eso. Me gusta cumplir con mi deber y cumplirlo bien. Me agrada el empleo, pero cuando trato con amigos, no soy tan trabajadora.

—Es que aquí no vas a estar a destajo.

—Pero tengo un trabajo y deseo realizarlo por completo.

—O sea, que no me vas a tutear.

—No.

Así.

Omar se mordió los labios.

Empezaba mal la cosa.

Aquella monada era más seria y más personal que Kirt.

Ya se ablandaría.

Y él no podía perder la paciencia.

Tuvo otras peores y al final… ¡Bah!

Se fue a su mesa y se sentó tras ella.

Como eran las nueve y media de la mañana, empezaron a funcionar los teléfonos. Omar se olvidó de que tenía a su lado, o por lo menos enfrente de él, a su secretaria, y trabajó durante horas sin pronunciar más palabras que las precisas, y por supuesto, admitiendo el usted de Ingrid Lewis.

A media mañana se levantó, después de dictarle tres cartas que ordenó fuesen escritas en francés, y dijo que se iba al bar a tomar el café.

—¿Vienes?

—No acostumbro —dijo Ingrid sin levantar la cabeza—. Gracias.

—¿Te lo mando aquí?

—Le he dicho que no tomo nunca el café.

—Como gustes.

Salió.

Ingrid siguió trabajando impertérrita, pero, en su mente, se preguntaba si estaría equivocada con él.

Fue más tarde, cuando salía de las oficinas de la mina, que vio a Omar al otro extremo. Tan embebido estaba mirando a su vez a una joven empleada, que no supo que era observado.

Ingrid se quedó como paralizada.

La mirada de Omar era pecadora, odiosa, cruel... inmoral.

Ya decía ella.

Nunca se equivocaba al juzgar a una persona.

«Ponte en guardia, Ingrid», se dijo.

Y buscó el «bus» que la llevaba al centro desde lo alto de la mina.

A la hora de comer, Kirt quiso saber cómo le había ido.

—Bien. Se gana un buen sueldo, pero se trabaja para ganarlo —dijo evasiva.

—De todos modos —opinó Renata— tienes el mejor jefe que se puede desear.

Decidió atreverse.

Miró a su cuñada sin parpadear.

—¿Tan buen concepto tienes tú de mister Moore?

Renata lanzó como una exclamación.

—¿Es que lo dudas tú?

Ella podía callarse las verdades, pero jamás mentía.

Por eso dijo de nuevo evasiva.

—No lo sé aún.

—Pero, hermana —gritó Kirt— serías la primera mujer de todo el estado que pensara mal de Omar. Está dando pruebas de ser un jefe excepcional.

—¿Porque da dinero?

—¿Qué dices?

—Es que yo no juzgo a las personas por eso. Que dé dinero quien le sobre, comprenderás que no tiene un mérito. Lo bueno sería que lo diera yo, que no lo tengo.

—¡Ingrid!

—Perdonad.

Y ya no habló más del asunto.

Le gustaba prescindir de todo y andar sola por los sitios.

Ya le ocurría en Santa Fe.

James siempre pretendía acompañarla, y eso que a ella le gustaba James un rato largo. Le gustaba físicamente, porque por dentro, el pobre James era como una taza después de haber tomado el café. Pues también prescindía de James. Se iba sola y a veces hasta entraba en una sala de fiestas, y aceptaba bailar con el primer desconocido agradable que la invitaba.

Tenía veinte años. Ya no era una cría. Y casi desde los quince vivió sola en la residencia seglar donde comía y dormía pero su vida, realmente, se hallaba muy lejos de todo aquel conglomerado de estudiantes o empleados de comercio.

En una ocasión conoció a un chico en una *boîte* y salió con él durante más de seis meses. Incluso la besó. Se llamaba Richard no sé cuantos. Qué más daba el apellido. Cuando Richard la besó por primera vez, comprendió que nunca le gustaría acostarse con él, y como ella entendía el matrimonio en su compendio absoluto, dejó de verle.

Richard insistió hasta el punto que ella tuvo que ser crudamente sincera. No le gustaba. No le quería. Sus besos no le decían nada.

Richard se marchó ofendido, pero prefirió que se marchase ofendido a que insistiese.

En aquel instante, una tarde de domingo bastante brumosa, pudo evitar a Roger y decidió dar un paseo sola, irse al cine y después tomar un té en una cafetería, y más tarde si le apetecía, pasar por una sala de fiestas.

Fue al entrar.

Nada más pisar aquella lujosa sala, se topó con Omar que salía.

Los dos se quedaron algo envarados.

—Caramba —exclamó Omar deponiendo su sorpresa— tú...

—Hola.

—¿Qué haces aquí?

Ingrid se alzó de hombros.

—Me gusta ver.

Omar no lo pensó dos segundos.

—Te invito a tomar algo —dijo.

—¿No salía usted?

—Ahora no estamos en la oficina.

—Pero sigue siendo usted mi jefe.

Era desconcertante.

Omar estaba de vuelta de todo y conocía bien a la mujeres. ¡Vaya que sí! Las conocía perfectamente, pero aquélla barruntaba él que era distinta. Había que andar con pies de plomo.

—Trátame como te dé la gana, pero te invito.

Mejor sería conocerlo algo más.

Y fuera de la oficina, tal vez aquel sádico se quitara la careta. Que la tenía era obvio. No había más que ver cómo miraba a las mujeres que pasaban a su lado.

—Bueno, acepto.

—Vamos a una mesa de aquéllas.

Y señalaba junto a la pista de baile.

El camarero, al verlos, se acercó obsequioso. Se notaba que conocía bien a Omar y que estaba habituado a recibir sus propinas, porque les condujo a la mejor mesa, situada en una esquina casi en penumbra.

Ingrid no parecía cohibida ni pesarosa. Serena y casi mayestática, distinta, caminaba al lado de Omar como si todos los días visitara salones así.

Las luces parpadeantes causaban mareo. La música dulzona, voluptuosa, y las parejas en la pista, abrazadas disimulando como podían sus sucios deseos.

—Los bailes de ahora —comentó Omar ayudando sentarse a Ingrid— son así. Algo... escandalosos.

—No son los bailes —dijo Ingrid indiferente.

—¿No?

—Son los bailarines.

—A ti no te gusta el baile.

—Claro que me gusta.

—¿Has bailado muchas veces?

—Bah. Como todas las jóvenes de mi edad.

—¿Bailas conmigo?

—Ahora prefiero tomar un té.

—De acuerdo. Un té y un whisky —dijo al camarero que esperaba.

4

Fueron servidos en seguida.

Omar, saboreando su whisky, dijo muy amable.

—Seguro que has dejado un novio en Santa Fe.

—No.

Así de simple.

Omar estaba habituado a hablar con mujeres que se derretían a su lado. Que se volvían locas por ser amables. Aquella que tenía delante, era femenina cien por cien. Tremendamente femenina, y, sin embargo, no parecía dispuesta al coqueteo ni a hacer todo lo posible por agradarle.

—Es raro.

—¿Por qué?

—Siendo tan bella.

—¿Bella yo? —y se echó a reír, mostrando las dos hileras de blancos dientes perfectísimos.

Omar se agitó.

Le gustaba.

Le gustó nada más verla.

La sentenció nada más verla.

Pero por ser distinta, había que andar con cautela. Mucha cautela.

Ya caería en el redil un día u otro. Pero que llegaría a caer, era obvio.

—No necesita piropearme —aun añadió Ingrid, sin que él hiciera otra cosa que mirarla de aquella manera, como si la desnudara—. Yo no acepto piropos vulgares. Ni soy bella ni me tengo por tal, ni estoy descontenta de cómo soy.

—Eres bien clara.

—Por supuesto que lo soy.

—No tienes tu meta.

—¿Qué meta?

—La que tienen todas las jóvenes de tu edad. El matrimonio.

—¿Acaso la tiene usted?

Era objetiva, y Omar se dio cuenta de que por primera vez se encontraba con una muchacha que, sin conocerlo, sabía sus mañas.

Pero no se quitó la careta. Sonrió tan sólo.

—¿Supones que no es esa mi meta?

—El caso no es que lo suponga, yo, sino que lo sepa usted.

—Es curioso.

—¿El que lo sepa?

—No. Que seas como eres, teniendo sólo veinte años. Se diría que has vivido lo tuyo y que estás de vuelta de muchas cosas.

—¿Como cuáles?

—Se enfría el té.

—Gracias.

Dio un sorbo y lo miró de frente, con aquella valentía suya que empezaba a molestar a Omar.

—¿Qué, no me dice lo que usted opina del matrimonio?

—Tal vez lo haga cuando conozca tu... modo de pensar sobre el mismo.

—No es mi meta. Si surge... me caso. Y no debe surgir como surge una entrevista inesperada, o una apuesta. Lo reflexionaré bien. Probaré por todas las esquinas. No me gusta el divorcio ni la lucha interior en un hogar de dos. Ni las mentiras sentimentales. Ni las falsedades amorosas. No sería capaz de engañarme a mí misma a la par de engañar al mundo con una felicidad que no siento. Por eso no es mi meta. Si un día me enamoro de verdad, prefiero ser esposa que amante —lo recalcó con ironía—. Entonces sí me casaré. Pero no creo aún en la fuerza del amor. Al menos... la verdad sea dicha, nunca sentí el imperioso deseo de entregarme a un hombre.

—Para ti no basta sólo el placer sexual.

—No —rotunda—. Tendrá que ser acompañado del afecto en todas sus manifestaciones, del gusto en todos sus conceptos. Entregarme a un hombre —lo decía adrede para que él no se confundiera ni diera un mal paso ante ella— sólo por el placer de la novedad sexual, no me llena.

Miró en torno como si no dijera nada.

—Y eres femenina —dijo Omar cauteloso.

Le miró de frente.

—¿Qué tiene que ver lo uno con lo otro?

—Todo. Una mujer femenina necesita al hombre.

—Al hombre, sí. Y eso no lo pienso discutir yo. Pero una mujer que sólo busca el placer sexual, no piensa en el hombre, sino en los hombres, y eso será lo que yo no haré —consultó el reloj—. Debo irme. Me gusta pasear bajo el crepúsculo.

—Te he conocido más —dijo él como si no la oyese.

—¿Sí?

—Sí —y de modo raro, añadió sarcástico—: ¿No te interesa saber qué opino yo del matrimonio?

—¿Y por qué ha de interesarme?

—Siempre interesa lo que piensan los demás.

—A mí, no —rotunda. Se ponía en pie—. Tengo que irme.

—Permíteme que te acompañe.

No pensaba rechazarlo. Se empeñaba en conocerlo más, y por lo visto, Omar se reservaba con ella. Pero tampoco era un objetivo conocer a Omar, puesto que intuía de sobra cómo era. No obstante, pensó que tal vez durante el paseo hacia casa de su hermano, Omar Moore se dejara a un lado su espesa careta.

Salieron juntos y en el guardarropía le entregaron a ella el abrigo, que Omar le ayudó a ponerse sin rozarla apenas.

Ya en la calle, el lujoso descapotable de Omar relucía allí mismo.

—¿En auto? —preguntó obsequioso.

—Prefiero a pie.

—De acuerdo. Luego vendré yo a buscar el auto —sin transición—: Te invito a cenar por ahí esta noche.

—Supone usted que Kirt no tendrá nada que decir.

Notó el brillo alegre de su mirada.

—Por supuesto que no.

—Porque es usted el jefe.

—Porque sabe qué clase de hombre soy.

—Ah... —y con sarcasmo—: Lo sabe.

—¿Qué tiene Kirt en mi contra?

—¿He dicho yo que tuviera algo?

—Por tu tono...

—No sea suspicaz —y echó a andar a paso elástico, tan segura de sí misma, que Omar sintió una rabia infinita hacia ella, si bien se doblegó—. No, gracias. No me gusta pasar parte de la noche fuera de casa. Prefiero un libro, o un poco de música a solas conmigo misma.

—Eres una muchacha rara.

—Común. Hay miles de chicas como yo. Lo que pasa es que, si hay alguna diferencia, es que en mí no pesan los millones ni el nombre de las personas que me invitan. Para mí cuenta la persona en sí. Me gusta o no me gusta, y de ahí no pasa.

Claro que era diferente.

Omar se mordió su despecho y decidió darle toda la confianza posible.

—Y yo no te gusto.

—Apenas si le conozco.

—Pero es que yo entiendo que, para que dos personas se conozcan, deben tratarse. Y no basta un despacho, donde él es el jefe y ella la secretaria. A mí me gustaría que nos conociéramos como personas que somos en este instante. Como amigos.

Llegaban ante la casa de Kirt.

—Lo siento, mister Moore, pero yo prefiero retirarme.

—¿Otro día?

—No lo sé —alargó la mano con naturalidad.

Era fina, delgada, de no muy largas uñas, pero delicadamente cuidadas.

Una mano expresiva.

Una mano que a Omar le hubiera gustado mucho conservar un cierto tiempo entre las suyas.

Por eso la oprimió un rato. Lo hizo como Ingrid esperaba que lo hiciera. Insinuante, posesivo, voluptuoso.

No se molestó en rescatarla demasiado pronto. Sonrió eso sí, sonrió mostrando las dos hileras de perfectos dientes que, en la noche, tenían como un brillo especial;

Omar se agitó.

Llevó aquella mano a los labios y no se conformó con besarla en el dorso. Audazmente le dio la vuelta y sus labios abiertos, sensuales, se pegaron a la tibia palma.

Fue cuando Ingrid la rescató con violencia. La hundió en el bolsillo del abrigo y comentó sarcástica.

—Es usted demasiado impetuoso, mister Moore —y sin que él tuviera tiempo de pronunciar palabra, añadió—: Buenas noches y gracias por su compañía.

Giró sobre sí.

Omar fue a retenerla. Con ninguna otra mujer que le gustase, aguantaba él tanto. Pero aquella era distinta.

No dijo que estuvo con él.

Comió con su hermano y Renata, con aquella tranquilidad suya, un mucho desconcertante, y después se retiró a su cuarto.

¿Por qué lo sospechó?

Lo intuyó de tal modo, que estaba segura. Y cuando oyó el timbre del teléfono, se dijo en alta voz, antes de levantar el auricular.

—No creo que mi vida sea mejor por haber estudiado cinco cursos de sicología —después—: ¿Diga?

—Pensé que tal vez te había molestado.

—¿A mí? ¿Por qué?

—No suelo ser impetuoso, pero ... tú tienes no sé qué.

Iba descubriéndose, como ella suponía.

No se había equivocado, no.

Lo que aún ignoraba era qué más cosas iba a decir Omar Moore, sólo por el pretexto de hablar con ella por teléfono.

—No le entiendo, mister Moore.

—Eres distinta.

—¿Sí?

—Te estás burlando de mí.

No.

Empezaba a burlarse de ella misma, que era, al fin y al cabo, como burlarse, efectivamente, de él.

—Mañana es día festivo. Se celebra para nosotros una fiesta, debido al aniversario de la fundación de nuestra sociedad. ¿No te gusta cazar?

—Nunca he ido de caza.

—Yo sí, es apasionante. Te invito. Podemos salir temprano y pasar el día en el monte. Conozco sitios maravillosos.

¿Y si fuera?

¿Y si le obligara a quitarse la careta?

Por lo menos tendría un motivo para salir de su oficina y detener para siempre aquel asedio de que parecía ser objeto.

—¿Lo estás pensando?

—Tendré que consultarlo con... Kirt.

—Oh, por eso, nada. Yo mismo llamaré ahora a Kirt y se lo diré. Yendo conmigo, no dirá ni una sola palabra en contra del proyecto.

Claro.

Kirt lo consideraba un santo bajado del cielo. ¿Y por qué ella no lo consideraba así? Después de todo, pensó en un segundo, ¿no podía ella equivocarse? ¿No podía ser Omar Moore como todos decían que era? ¿Qué motivos tenía ella para pensar, en efecto, que todos se equivocaban en lo referente al concepto que tenían del millonario?

También pudiera ocurrir que la única equivocada fuera ella. Lo dudaba pero, no era mujer que juzgase a la ligera y sin razón, y mejor era exponerse y juzgar con justicia a aquel hombre.

—De acuerdo. Iré.

—Pasaré a buscarte —exclamó la voz más vibrante de Omar— a las diez en punto. Tengo unos bosques estupendos en las afueras de Prescott. Nadie interrumpirá nuestra caza.

—De acuerdo —dijo nuevamente—. Le espero a las diez.

Colgó.

No se quedó allí.

No necesitaba pensar.

Era mujer cerebral y todo lo tenía ya pensado. Pero con morboso placer decidió que deseaba saber qué pensaba Kirt, su hermano, y Renata, su esposa, de aquella escapada al bosque con el jefe supremo. Por eso, en pijama como estaba, y con una bata corta encima, el cabello sujeto en la nuca y sin pintura en el rostro, se dirigió al salón donde su hermano y su cuñada charlaban íntimamente de sus cosas.

—Pero no te has acostado —exclamó Renata.

Fue a sentarse enfrente de ambos.

—Acaba de llamarme Omar Moore.

Kirt pareció crecerse.

—¿Has hecho algo malo en la oficina, Ingrid?

—Claro que no. Soy una perfecta secretaria. Me llamó para invitarme a cazar mañana. Parece ser que para la empresa es día festivo debido a no sé qué.

—Se celebra el aniversario de la fundación de la sociedad.

—Sí, Kirt, algo de eso dijo Moore. ¿Te parece bien que me vaya de caza con él?

—Por supuesto —saltó Renata— ¿cómo íbamos a oponernos? Omar es así, sencillo, cortés. Trata a sus empleados como si fuesen sus amigos.

—¿Invita a sus otras... secretarias?

Ni uno ni otro se percataron de la ironía.

Intervino Kirt.

—No a todas. Pero a casi, todas.

—Las que podían igualarse un poco a su edad, ¿no?

—Parece que lo dices de modo irónico.

—No —sonrió Ingrid suavemente beatífica—. Es que como lo admiráis tanto...

—¿Tú no le admiras?

—Si no le conozco, Renata.

—Te estamos diciendo cómo es desde hace dos meses, desde que regresaste —saltó Kirt— y tú pareces no haberlo oído.

No se exaltó.

—O sea —dijo con la misma mansedumbre— que vosotros, los dos, y todos los demás, consideráis a Omar un dechado de perfecciones.

—Lo que es —exclamaron los dos a la vez.

No pensaba discutirlo.

Y hasta se fue a la cama pensando si sería ella la única equivocada.

Durmió mal. No le iba ni le venía aquel asunto, pero le descomponía que la gente no se responsabilizase de sus defectos o pecados.

Ella era perezosa. Siempre lo fue y no se lo discutía nadie, porque lo era y lo admitía.

No soportaba, pues, que el tal Omar Moore fuese un sádico pecador y embustero, y pasara por un virtuoso.

A las diez menos diez estaba lista. Vestía un traje muy apropiado a la montaña. Calzón canela, altas polainas, blusa marrón y una zamarra de ante cruzada con ocho botones y abierta por los lados, a tono con el pantalón. Peinaba el cabello hacia arriba y se cubría la cabeza con una graciosa visera. La mochila al hombro, gentil y firme, con aquella soltura que apabullaba, Ingrid apareció en el salón, cuando Omar Moore departía con Kirt y Renata como si fuesen sus hermanos o sus amigos más queridos.

Al verla lanzó una breve mirada sobre ella, pero Ingrid sintió la sensación de que le quitaba, con aquella brevísima mirada, hasta los calcetines.

Que le dijeran a ella que aquel tipo millonario y sensual no usaba una careta de grueso espesor.

Se veía.

Lo veía ella.

Estaba firmemente dispuesta a ver la cara de Omar sin su opaca careta.

—Estoy lista —dijo.

5

Se preguntaba qué pensaría Roger Sellers cuando fuese a buscarla aquel mediodía, y Renata le dijera que se había ido con Omar Moore. No importaba gran cosa lo que Roger dijera.

Ella no tenía ningún compromiso con él y no pensaba tenerlo jamás.

—Vas muy callada —comentó Omar, lanzando una breve mirada hacia ella, que iba sentada a su lado—. Contemplo el paisaje.

—¿Romántica?

Ingrid se alzó de hombros.

—Me pregunto qué mujer no lo es en mayor o menor grado. Pero no creo que el hecho de que contemple el paisaje intensifique mi romanticismo.

—¿Eres sentimental?

—No lo sé. No me sentí emocionada jamás con algo determinado llamado amor o sentimientos más o menos femeninos referentes a un hombre. Si se es sentimental por contemplar una puesta de sol, enternecerse ante un niño o sentirse ligada a la familia, entonces lo soy.

—Yo también lo soy —dijo rotundo.

Pero Ingrid entendía que no lo era.

Práctico, sí.

Sensual, sí.

Aprovechado, mucho.

Cauteloso, para llegar al objetivo propuesto, más.

Sentimental, rotundamente, no.

—Fíjate si lo seré —añadió Omar, ajeno a lo que ella pensaba de él—- que aún recuerdo con nostalgia la primera novia que tuve.

—Vuelve a ella —dijo Ingrid con aplastante lógica.

Lo vio vacilar.

Pero en seguida debió de hallar una respuesta, adecuada, por supuesto, porque se apresuró a decir.

—Qué más quisiera. Pero falleció.

—Ah… ¿De anginas? ¿Pulmonía? ¿Fiebres palúdicas?

—¿Es que no lo crees?

—No veo por qué no he de creerlo. Es que me hace gracia… ¿No has tenido otra?

—Me estás tuteando.

—Claro —rió apenas, con un sarcasmo del que él no se percató—. Vamos de excursión... Somos dos amigos... Mañana volveremos a ser jefe y subordinada.

—Eres muy especial. Distinta a todas las secretarias que te han precedido... Para mí siempre fue más fácil la convivencia con ellas y, por supuesto, el trato.

—Lo siento por ti, si es que yo salgo desfavorecida.

—Sales favorecida, pero más difícil, ya te lo dije —y sin transición, como si recordara en aquel instante la pregunta femenina formulada antes—: No he tenido más novias.

—Eres fiel a un recuerdo. Eso... dice mucho en tu favor.

—Si lo dices con ironía...

—¿Y por qué he de ser irónica?

—Tal vez no lo creas. No, te equivocas en cuanto a la fidelidad a un recuerdo. No es eso. Soy de los hombres que, cuando tenga novia, se casan con ella. No me gustan ni los amoríos ni las relaciones interminables entre un hombre y una mujer.

—Eres así... de claro.

En el tono notó algo desusado.

Por eso se olvidó un poco de la dirección y la miró inquisidor.

—¿Lo dudas?

—¿Y por qué, si lo dices tú?

—Me gustaría intimar más contigo. Me gustaría que me conocieras mejor —y con una sonrisa especial—. Me estás gustando mucho, Ingrid. Perdona… que te lo diga así. No quisiera parecerte poco delicado.

—No me lo pareces —comentó Ingrid impasible, no creyéndole, por supuesto—. Muchos otros chicos me dijeron lo mismo, y la cosa no pasó a mayores.

—¿No has tenido nunca novio?

—Ya me has preguntado eso. No, no lo he tenido. Cuando lo tenga, me caso. Y ha de gustarme mucho para entregarme a él.

—Ojalá sea yo.

Ingrid se echó a reír.

Empezaba a ponerse nerviosa. Empezaba a dudar si se habría equivocado al juzgarle, y lo peor era que le gustaba estar a su lado oyéndole.

¿Era aquella la escuela de Omar para conquistar a las mujeres? ¿Era así como se mostraba? ¿Suavecito, convincente, humano para engañar? ¿O tal vez no engañaba y es que era así, como parecía ser en realidad?

Decidió seguir estudiando. E hizo como si no le oyese.

—¿Llegamos pronto, Omar?

—Sí, estaremos en mis posesiones en seguida. Te mostraré mi casa de campo con sus pabellones y sus caballerizas. Uno sabe cuándo empieza a caminar por esas inmensidades, pero nunca cuándo termina.

—Ten presente que hemos de regresar hoy mismo.

Estaba equivocada aquella soberbia y atractiva criatura. Pasara lo que pasara, no volverían.

Ni Kirt ni Renata ni todos los veinte mil escasos habitantes del pueblo, serían capaces de evitar lo inevitable.

Nada en el mundo le agradaría más que doblegar a la orgullosa Ingrid Lewis. Le molestaba y le seducía de ella hasta el más mínimo gesto, y aquel aire de sabelotodo, que le ofendía tanto como una bofetada.

—Nos dará tiempo a todo —dijo beatíficamente.

—Eso espero.

El auto entraba en las inmensas posesiones de los Moore. El palacete, los pabellones. Los caballos de carreras, el campo de golf…

—Es precioso todo esto —dijo Ingrid con la mayor naturalidad, pero sin emoción, lo cual, una vez más ofendió a Omar, porque en muchas otras ocasiones llevó allí a sus secretarias y ver aquella inmensidad bastó para deslumbrarlas y doblegarlas.

Había algunos criados por los alrededores. Dos jokeys jóvenes, delgados y bajos, en torno a los caballos de carreras. Omar iba hablando.

—Montan mis mejores potros. Alguna vez hemos ganado carreras importantes.

También había dos mujeres mayores al otro extremo de los pabellones centrales, dando de comer a unos faisanes.

—Vendremos aquí a comer —le indicó Omar—. Ahora nos vamos de caza con nuestras mochilas.

Se internaron en el bosque. Durante buena parte de la mañana, casi hasta las dos, penetraron más y más en el bosque, y Omar no cesaba de lanzar tiros, cobrando buenas piezas que luego colgaba en el morral. Hablaba poco. Se notaba que era un apasionado por la caza.

Por dos veces le ofreció la escopeta, y la joven lanzó un tiro, pero Omar la ayudó y aprovechó para abrazarla sin que lo pareciera.

Aunque Ingrid conocía lo bastante a los hombres como para darse cuenta de que Omar no perdía ocasión de tocarla. Así pasó la mañana, y a las dos y media, como su estómago estaba casi en los tobillos, hizo un alto para decir.

—¿No volvemos a comer, Omar? Debe de ser muy tarde. Me olvidé el reloj en casa.

«Mejor», pensó Omar.

—Si he de decirte verdad —dijo riendo— ignoro en qué parte del bosque nos encontramos. Pero por todos los sitios tengo cabañas, por si ocurren cosas así.

—¿Qué cosas?

—Perdernos, por ejemplo.

—Ah... y consideras que nos hemos perdido.

—Supongo que sí —volvió a reír Omar mirando en torno con expresión aguda, como si buscara el atajo para regresar al palacete—. No es la primera vez que me paso la noche en una de esas cabañas que más parecen cuevas para pastores. Bueno, de todos modos, no temas nada. Estás conmigo y yo sé cómo defenderme de los chacales.

Si pensó que la asustaba, y con ese fin lo dijo, se equivocó.

—Al menos —dijo Ingrid desconcertándolo— tendrás algo de comida en la mochila.

—Eso, sí. Lo pongo por si ocurre esto.

Soltó la mochila del hombro y mostró un prado precioso protegido por algo que parecía un montículo.

—Aquí comeremos a gusto. Siéntate, Ingrid. Siento esta contrariedad.

—Me gusta la aventura —dijo la joven simulando que se divertía.

Y empezaba a pensar que, en efecto, no se había equivocado en cuanto al sadismo de Omar Moore. Seguramente que todas sus antecesoras pasaron por aquel trance, y seguro asimismo que a aquellas alturas, ya estaban más que doblegadas por el millonario.

Ella, no.

Estaba listo Omar.

Por muy Omar que fuese y por muy millonario que fuese asimismo, ella no se dejaba deslumbrar. Y no por llevarle la contraria a Omar, ni por ganar una batalla que ella no había comenzado. Simple y sencillamente, porque Omar no le gustaba.

Ella era así, como era. Y si Omar le gustase y se enamorase de él, seguramente que sería suya antes de llegar a tales mentiras y estratagemas.

—Siéntate en el prado, Ingrid —la invitó Omar, ajeno a los pensamientos de la joven—. He traído unos bocadillos y una bota de vino.

No se sentó.

—Prefiero agua —dijo, temiendo que fuese muy capaz de echarle alguna droga en el vino— Iré yo a buscarla al riachuelo próximo. No, no te muevas. Iré yo misma.

Omar se mordió los labios.

El vino era puro, por supuesto, pero el hecho de que ella desconfiara era decepcionante, acusante y desesperante.

Al poco rato, Ingrid regresaba tan tranquila, como si en su vida desconfiara de nadie.

—Es tan rica este agua fresca —comentó, sentándose en el prado— como el champaña mismo. Tú dirás lo que quieras, pero yo la prefiero al vino.

Comieron sendos bocadillos, y más tarde, Omar se tendió en la hierba y dijo que iba a dormirse un ratito.

—Tal vez tengamos que buscar una cueva de esas para pasar la noche... No es la primera vez que me ocurre un percance así.

—Por mí... no te preocupes.

La miró asombrado.

—¿No te importa de verdad?

—¿Y por qué había de importarme? Si mi jefe está conmigo, mañana, si llego tarde a la oficina no tengo quien me riña.

—Sólo eso... te intranquiliza.

—Por supuesto.

—En un pueblo como Prescott, con tan pocos habitantes, todo se sabe. ¿No te importa el hecho de que se comente que has pasado la noche con un hombre?

Ingrid emitió una risita.

—¿Un hombre como tú, Omar? Por favor... no te ofendas a ti mismo... Nadie en Prescott se atrevería a pensar que tú puedes ofender a una muchacha... Nadie lo creerá de ti.

Omar se mordió los labios.

Buscó ironía, sarcasmo, burla en el acento de aquella voz, pero jamás voz más mansa ofendió tanto. Aunque tampoco podía decir que con aquellas palabras se consideraba ofendido, porque ella se limitaba a repetir lo que él... mentidamente había sembrado.

—Tienes razón —dijo a media voz.

Y cerrando los ojos, tal pareció que quedaba dormido bajo aquellos débiles rayos de sol que empezaban a parpadear, bajo unas nubes grisáceas que asomaban en el firmamento.

6

También ella se tendió sobre la hierba. Y supo cuando le sintió girar en el césped y quedar casi pegado a su costado.

Aguardó.

No tardaría Omar en dejarse ver. En mostrar todas sus sucias intenciones. No se había equivocado, no. Podían equivocarse Kirt, Renata, Roger y todos los habitantes de Prescott, excepto las secretarias, y tal vez muchas otras mujeres que fueron pagadas para callarse, pero ella...

—Oh... perdona.

—No tiene importancia, Omar.

—¿No la tiene?

Estaba pegado a ella. Ingrid no se movió. Ni se echó hacia atrás ni se acercó a él. Pero, eso sí, no denotó temor.

La cosa estaba poniéndose clara. Y Omar no era hombre lo bastante inteligente, creía ella, para conocer la diferencia que existía entre sus antiguas amantes, y la que pretendía que empezara a serlo.

La mano masculina se alzó como al descuido y quedó presa en la cintura Ingrid.

Ni siquiera así ella se apartó.

Quería verlo tal cual era.

Hacerle escupir toda la suciedad moral que llevaba dentro, y en la que nadie creía, porque Omar sabía la forma de disimularlo. Tal como muchas conocían aquella suciedad, Omar sabía pagar para silenciar la dignidad ajena; matándola o dominándola.

La suya, no.

Estaba muy por encima de todo. Y no por puritanismo sino porque Omar le resultaba odioso, y no por ser como era, tan solo, sino más bien, porque no era lo bastante sincero para responsabilizarse de sus defectos, y los ocultaba como un ladrón mezquino.

—Perdona, Ingrid.

—Pero... ¿qué tengo que perdonarte?

—Es que mi mano...

—Quítala —dijo ella brevemente— y así evitas pedir perdón.

—Es verdad.

Pero no la quitaba.

Al contrario, rodó cintura arriba.

De repente, cuando iba a llegar a su busto, Ingrid la asió entre sus dedos.

—¿Qué pasa, Omar?

—¿Pasar?

—Eso digo. ¿Qué pasa con tus dedos?

—Los tienes tú apresados.

—Para evitarte una estupidez.

—A ti no te gustan los hombres.

Le gustaban.

Como a la que más.

Así, no.

—Te pido que seas correcto.

—Nos vamos a quedar aquí toda la noche —dijo Omar roncamente, ya pegado a ella y sin disimular—. Comprenderás que…

Ingrid se incorporó.

Quedó sentada en el césped, no lejos de Omar.

Le miraba. Fija y quietamente.

—Oye, Omar… Me pregunto si con todas las chicas que pasaste la noche aquí, has hecho eso.

—¿Eso, qué?

—Lo que pretendes hacer.

—Bueno, bueno, no seas boba.

—Yo no soy boba, Omar. Me gustaría que lo tuvieras muy presente. No soy ni pizca de boba. Y no me gusta que me metan en líos sucios.

—¡Puñetas! —se alteró Omar, disimulando cada vez menos—. La cosa está clara ¿No?

—Para mí, no.

—¿Qué mierda quieres que te diga? ¿No lo entiendes?

—No.

—Y presumes de lista.

—Es que tú eres muy tonto si piensas que yo puedo entenderte sin que digas claramente lo que te propones.

Omar se sentó a su vez.

La miró cegador.

Codicioso.

Con aquella expresión que ella le vio tantas veces al mirar a una mujer.

—Vaya —se echó a reír, y no tenía ninguna gana de hacer mofa de algo tan serio—. Por lo visto... no eres tan honesto como te consideran tus amigos y tus subordinados.

—¿Qué es lo que quieres, Ingrid?

—¿Querer, de qué?

—De todo. Te puedo cubrir de oro.

—Vamos, al fin.

Omar dio un puñetazo en el aire.

—Sabes que me gustas desde que te vi. ¿No lo sabes? Pues entonces... Has venido aquí conmigo, ¿no? ¿Por qué has venido? ¿No sabes a lo que has venido? Déjate de tonterías y pongámonos de acuerdo.

Era aquél.

El hombre que ella presentía.

Pero al que no conocían ni su hermano, ni su cuñada, ni Roger, ni nadie, excepto las mujeres más cándidas que ella, que cayeron bajo sus redes y Omar les tapó la boca con dinero.

Odió el dinero.

Odió a Omar.

Y odió a su hermano, a su cuñada y a Roger, por ser tan idiotas.

—Al fin —dijo sin aturdirse, pero sí poniéndose en pie—. Te has quitado la careta.

Omar dio un salto y quedó casi pegado a ella. Alzó una mano. Iba a tocarla. Pero Ingrid levantó la suya y se hizo rápidamente con la escopeta.

—Si me tocas, apunto y disparo.

—Estás loca.

—Ya lo sabes. O no conoces en absoluto al ser humano, o eres un perfecto imbécil. Yo no soy como las otras. ¿Entendido? No me gustas. Y si me gustaras tampoco sería tuya sólo porque a ti te diera la gana. Nada me complace más que rechazarte y decirte que tu dinero no sirve para comprar a todas las mujeres.

Omar retrocedió un paso.

La escopeta le apuntaba y él empezaba a pensar que, en efecto, se había equivocado, y que todo lo calculó mal, y que debió de esperar antes de lanzarse a fondo.

Y también consideraba a Ingrid capaz de disparar, matarle y responsabilizarse después de su muerte. Pero como también tenía su personalidad, no le dio la gana de vejarse ante ella.

—Estás haciendo una comedia. Yo no tengo por qué admitir que eres distinta a la generalidad humana femenina.

—Ese es tu error.

—¿Quieres bajar esa maldita escopeta?

—Es que no pienso hacerlo, porque si bien tú desconoces el camino, yo intentaré buscarlo. ¿Qué te parece si cuando llegue a mi casa le digo a mi hermano que eres un cerdo indecente?

—No te creerá.

—Claro. Tú tienes bien abonado el terreno, para que así ocurra. Pero no temas. No pretendo quitarte la careta. La tienes quitada para mí, y basta. Ah, y no intentes hacer tu papelón ahora de que te has equivocado conmigo, y que con las otras fuiste muy bueno.

—Pagué los favores que me hicieron —gritó descomponiéndose.

—Ese eres tú.

—¿Qué dices?

—Que eres tú. El hombre que yo supuse que serías.

No dejaba de apuntarle.

Omar se mordió los labios.

Estaba furioso.

Era capaz, en aquel instante, de cualquier villanía.

Pero Ingrid lo sabía y estaba en guardia.

—Buenas tardes, Omar Moore.

—Aguarda.

—Adiós.

—Óyeme...

—Si das un paso, te clavo en la tierra, Omar. Yo acabo de conocerte a ti. Es decir, confirmé lo que suponía. Pero tú a mí... no me conoces aún. Y ten presente que si das un solo paso más, te destruyo, y veremos qué razones das de tu muerte en el otro mundo.

—Estás loca.

—Loco tú al confundirme con una de tus vulgares secretarias.

—Escucha —sudaba Omar. Sudaba y se sentía empequeñecido, absurdo, pero seguía en sus trece— escucha, por favor. Te cubriré de oro. Te daré todo lo que me pidas. Te...

—No me harás tu mujer.

Omar la miró espantado.

—¿Mi mujer? ¿Mi esposa, quieres decir?

—Supónte que te lo exija.

—Estás loca. Yo no soy de los que se casan.

—Ni yo. Ya ves... tú deshonesto y yo honesta, nos parecemos un poco. Buenas tardes, Omar.

Huyó sin correr.

Fue retrocediendo en la maleza, y cuando él quiso darse cuenta, la figura femenina se había perdido.

Primero le sacudió un acceso de infinita ira. Después, al rato, una risa loca.

—Se perderá en este laberinto —gritó como si alguien lo estuviera oyendo—. Estoy seguro que se perderá.

Echó a andar tambaleándose.

Era la primera vez en su vida que le ocurría algo parecido.

Media hora escasa después llegaba ante su palacete. Preguntó por ella. Le dijeron que no la habían visto.

Mejor.

Ojalá la comieran los chacales.

Ya encontraría él explicación que darle a Kirt. Al fin y al cabo, Kirt vivía de él, y llorar a una hermana le sería fácil.

Al anochecer, ya más tranquilo, regresó en su descapotable a Prescott.

Después de darse un baño y tras de reflexionar, ya bien entrada la noche, decidió llamar a Kirt. Él mismo marcó el número. No sabía qué iba a decirle, mas era evidente que le diría que su hermana se había caído por un barranco. Una desgracia como otra cualquiera.

Una voz bien conocida respondió al otro lado.

—Diga.

Quedó helado.

—Tú...

—Ah... —reía la voz de Ingrid al otro lado—. Creíste que estaba muerta.

Colgó con rabia. Quedó tenso.

Llevó las manos al pelo y lo alisó maquinalmente. De todos modos, prefería que estuviese viva.

7

Ni por un momento se le ocurrió pensar que Ingrid Lewis acudiera al trabajo al día siguiente.

Es más, daba por terminado aquel asunto.

Dolía el fracaso, por supuesto, pero otras cosas dolieron antes y pudo con ellas, no era tan fácil superar aquel fallo suyo, pero trataría de endulzarlo, buscando una nueva secretaria más asequible.

Nada más entrar en su despacho a la mañana siguiente (era puntual, aunque era deshonesto para su vida privada, para su responsabilidad profesional era totalmente rígido), decidió llamar al jefe de personal para pedirle que le buscase una nueva secretaria aduciendo cualquier pretexto ante la ausencia de la señorita Ingrid Lewis.

No obstante, no tuvo necesidad de hacerlo. A las nueve en punto, ni un minuto más, ni un minuto menos, se abrió la puerta y apareció la preciosidad que era Ingrid.

Vestía pantalones negros, un suéter blanco de cuello alto y una zamarra de ante, muy femenina, también de color negro. El cabello lo llevaba suelto y su mirada azul más glauca que nunca.

Entró con desenvoltura, firme, segura de sí misma y tan femenina, que hasta ofendía íntimamente a Omar, el cual, al verla, porque la verdad es que no esperaba verla nunca más por allí, se fue poniendo poco a poco en pie.

—Tú... —dijo, y su voz resultaba ronca.

Ingrid no se inmutó en absoluto.

Si Omar dudaba qué clase de mujer era, en aquel momento lo estaba viendo con claridad meridiana. Era la primera vez en su vida que se topaba con un caso igual.

Porque, anteriormente, una vez o dos se encontró con secretarias honestas, y, una vez provocadas, ellas desaparecieron ofendidas, sin dejar rastro.

Pero Ingrid estaba allí, y al verla, Omar pensó en dos cosas. O le despreciaba hasta el punto de demostrarle ser superior a él, o, pese a lo que dijese o hiciese, estaba allí dispuesta a convertirse en su amante.

—Yo, sí —aclaró Ingrid en pocas palabras la cuestión—. Nada tiene que ver mi trabajo con todas tus suciedades. De modo que, o me despides oficialmente, o me admites como simple secretaria. Tú dirás.

Omar metió el dedo entre el cuello y la corbata.

O era una cínica, o era una imbécil, y estaba empezando a temer que no fuese ninguna de las dos cosas.

—De modo —dijo de mala gana— que estás dispuesta a seguir en la boca del lobo.

—Para mí no existe el lobo. Puedes serlo tú, y de hecho lo eres, pero... yo estoy inmunizada contra esos peligrosos animales. He venido a trabajar, y eso es lo único que me interesa. Además, entiendo que una persona puede estar desprevenida y sufrir un impacto, pero cuando está en guardia... no existe el impacto.

—No te entiendo.

—Ya te conozco. Ahora he confirmado mi modo de pensar respecto a ti. ¿Me quedo? —sin transición— ¿o me voy?

—O sea, que no me temes en absoluto —preguntó despechado.

Ingrid movió la cabeza de un lado a otro, denegando.

—Nada.

Era el colmo.

Omar pensó despedirla inmediatamente, pero... era un recreo para la vista tenerla allí, y mientras trabajara a su lado, cabía una esperanza y, por otra parte, si la despidiera, ¿qué explicación podía darle a Kirt?

—Está bien —gritó exasperado— puedes quedarte si te atreves. Lo que pase en el futuro, se verá.

Ingrid se despojó del zamarrón de ante negro y se sentó ante su pequeña mesa, dispuesta a trabajar. No se inmutó. Trabajó toda la mañana como si estuviera sola en el despacho, y al mediodía se levantó cuando sonó la campana y volvió a vestir el zamarrón.

—Oye.

Se volvió apenas.

—Oye, Ingrid, ¿qué tipo de mujer eres? ¿No hay nada en este mundo que te domine, te haga temer o te mengüe?

—La muerte.

Lo dijo con sequedad.

Omar dio unos pasos hacia ella.

Su voz cobró una fuerza íntima indescriptible.

—¿Sabes una cosa? Daría… no sé lo que daría porque fueses mía, aunque sólo fuese durante una hora.

—Sería demasiado placer para ti —dijo cortante.

—¿Me desafías?

—Déjame en paz y te ignoraré.

—¿Crees posible que viviendo a tu lado, alguien como yo pueda dejarte en paz?

Por toda respuesta, Ingrid se encaminó hacia la puerta.

Era apabullante.

Claro que sólo se lo parecía a Omar, porque la misma Ingrid, para sí misma, estaba indecisa, aunque nadie lo diría, al verla tan segura de sí misma.

Sabía Ingrid que estaba desafiando el peligro, y eso era grave. Pero tenía demasiada personalidad para dejarse apabullar por un hombre tan mezquino como Omar. Un hombre, además, que engañaba a un pueblo entero.

—Cuando se conoce bien al enemigo —dijo abriendo la puerta— se le teme menos. Al menos, digo yo, sabe cómo defenderse.

Omar, no supo en qué fracción de segundo, se plantó delante de ella, entre la puerta entreabierta y la figura femenina.

—¿Qué pasa contigo? —casi gritó, perdiendo un poco su habitual compostura— ¿me desafías, o te desafías a ti misma?

Y ocurrió algo inesperado, que ni la misma Ingrid imaginaba. La mano de Omar cayó pesadamente en la nuca femenina. Le sujetó la cabeza y en un segundo, no sé qué cosa hizo, que tomó la boca de Ingrid en la suya.

Lo hizo como si mordiera.

Con ira. Con desesperación tal, que Ingrid no tuvo tiempo de defenderse.

Cuando quiso darse cuenta, y cuando sintió que parecía que el suelo se escapaba de sus pies, vio a Omar, triunfal, mirándola.

No perdió los estribos.

—Me parece que por primera vez en tu vida, un beso de hombre te emocionó —dijo Omar lentamente.

La respuesta de Ingrid fue muda.

Abrió, cerró y caminó a paso ligero pasillo abajo. Al rato se reunía con los muchos empleados que a aquella hora salían de las minas.

Comió silenciosamente.

Kirt y Renata hablaban de mil cosas.

Que si iba a organizar una cacería uno de aquellos sábados. Que si Omar Moore invitaba a sus más altos empleados. Que si sería muy divertida. Que si Omar era un jefe maravilloso...

Ella comía en silencio.

Por primera vez en su vida se sentía, como si dijéramos, desconcertada e íntimamente temblorosa.

Recordó cuando James la besó y el asco que sintió. Cuando Douglas, aquel chico que cursaba último de económicas, la invitó a pasar un fin de semana en la nieve y le hizo el amor sin ningún resultado. Recordó asimismo las veces que bailó con Dick, aquel muchacho corredor de fincas, que tenía el porvenir resuelto y le ofrecía matrimonio...

No sabía ella por qué recordaba aquellas cosas. Se sentía, de repente, tonta, hipersensible, molesta consigo misma.

—Estás muy callada —le dijo Kirt.

¿Qué pasaría si ella contara todo lo que sabía del golfo de Omar?

Nada, estaba segura.

Renata diría que no lo creía. Y Kirt levantaría las manos al cielo y exclamaría que todo eran calumnias...

—¿Irás a la cacería? —decía Renata.

—No sé.

—Tienes que ir —decía Kirt entusiasmado—. Hay dos fiestas seguidas dentro de una semana. Omar me dijo hoy, no hace ni dos horas, que organizaría una cacería de las que nunca se olvidan.

Los dejó casi con la palabra en la boca, y al hacer el recorrido hasta la mina, prefirió ir a pie para pensar. Y lo curioso era que empezaba a temer sus propios pensamientos.

Quiso definir aquel beso recibido.

Era distinto.

Dijo algo en ella.

¿Algo, como qué?

Cerró los ojos con fiereza.

Sacudió la cabeza como si su único anhelo fuese desterrar aquel recuerdo.

Era absurdo. Ella... ella... que no era ninguna cría en cuanto a los hombres, inquieta por una cosa así.

—Ingrid —llamó alguien a su lado.

Se volvió apenas.

—Roger —y su voz tenía como un ronquido.

Pero Roger no se percató. Abrió la portezuela del auto y le ofreció asiento.

—Sube. No me explico cómo puedes caminar por ese sendero embarrado, con este frío.

Se acomodó en el interior del auto;

—Ayer fui a buscarte, y me dijeron que te habías ido con Omar al bosque.

—Sí.

—Lo sentí. Tenía un buen plan. Oye, Ingrid, ¿cuándo podemos hablar tú y yo con calma?

—¿De qué? —preguntó distraída.

—De ti, de mí. De nosotros dos.

¡Bah!

No lo dijo, pero no pudo por menos de pensarlo. ¡Bah!

Roger, ajeno a sus pensamientos, conducía el auto por la empinada cuesta hacia la mina. La miraba a ella de vez en cuando y seguía diciendo.

—Tú sabes lo que siento por ti, Ingrid.

—Olvídalo.

—¿No te atrae el matrimonio?

—No.

—Pero no vas a pasarte la vida trabajando...

—Si empecé a trabajar ayer, como quien dice, Roger. Y además me gusta mi trabajo —y para distraerlo—: ¿Qué hay de esa cacería masiva que se anuncia?

—Ah, es verdad. No hay mejor cosa que comentar. La organiza mister Moore. Será en sus posesiones de las afueras de Prescott. Suele hacerlo una o dos veces por año en este tiempo —llegaban ante el edificio de las minas—. ¿Tomamos algo? Es temprano.

Los dos se encaminaron al bar.

Lo vio en seguida.

Estaba solo y tenía delante de sí, sobre la barra del bar, un whisky con soda. Al verla a ella acudió a su lado.

La miró cegador.

¿Qué le decían sus ojos?

¿Se burlaban de ella?

No lo supo. Pero le hacían recordar el beso que le dio en los labios.

—Ingrid y yo estábamos hablando de la cacería que vas a organizar —dijo Roger.

Pero Omar no parecía oírlo. Seguía mirando a Ingrid.

—Pareces algo pálida, Ingrid.

—No lo creo.

—Pues lo pareces.

Ingrid miró el reloj.

—Tengo que irme. He dejado varias cosas pendientes —miró a Roger—. Hasta la tarde.

—¿Te espero?

—Sí.

Y se fue.

8

Omar apuró un trago del contenido del vaso y encendió un cigarrillo.

—Una chica preciosa —comentó como al descuido—. ¿Te gusta mucho, Roger?

—Mucho —dijo Roger con la mayor sinceridad y sencillez—. Cala.

—Es que eres un sentimental. Es atractiva, por supuesto, pero... no como para volver loco a nadie.

—A mí, sí.

Odió a Roger.

El hecho de que se detuviera a mirar a Ingrid le ofendía en extremo. Pero nadie lo diría al ver sus ojos mansos y oír su voz apacible.

—Seguramente que se enamorará de ti. ¿Le has dicho que la querías?

—Claro.

—Ah... ¿sí?

—Pero ella es especial. No me parece dispuesta a casarse.

—Tienes un buen porvenir que ofrecerle, Roger.

—¿Porvenir? ¿Crees que eso convence a una mujer como Ingrid? En modo alguno, Omar.

—A ninguna mujer le molesta el dinero.

—Yo creo que a Ingrid le tiene muy sin cuidado.

Ya lo sabía.

O tal vez fingía ante él… Se vería. Todo se vería. Él no era de los que cejaban. Insistiría y…

—¿Sales con ella esta tarde?

—Sí —dijo Roger convencido.

Pues no saldría. De eso se encargaría él.

Consultó el reloj.

Allá lejos se oía una campana, anunciando la reincorporación al trabajo de la tarde.

—Tengo mucho que hacer, Roger. Te veré esta noche en el club.

—De acuerdo.

—Ah, mi felicitación por tu próximo compromiso con Ingrid Lewis.

Roger se agitó.

—No he dicho aún que…

—Tienes gancho —rió Omar beatíficamente—. La convencerás.

—Hum…

Se alejó.

Se fue directamente a su despacho.

Ingrid se hallaba sentada tras su pequeña mesa, dentro del mismo despacho del director y parecía entusiasmada escribiendo a máquina.

Omar entró y cerró despacio tras de sí.

—Hoy tenemos un trabajo extra —dijo, como si jamás intentara seducirla, como si fuese lo que era, su secretaria y nada más—. Trabajaremos hasta las nueve.

Ingrid levantó vivamente la cabeza.

—¿Y si no quiero?

—Mira, puedes defenderte en cuanto a tu... digamos moral. Ya nos conocemos. Es tonto por mi parte disimular mis debilidades, y tú... tus fierezas íntimas. Pero en cuanto al trabajo, debe ser sagrado para todos, incluyéndote a ti.

No era fácil olvidar que la había besado.

Un beso se olvida pronto. Aquél... para ella, no.

Y le gustaría desmenuzar el por qué.

Pero sacudió la cabeza y dijo entre dientes.

—Está bien.

—Te pagaré espléndidamente las horas que hagas de más.

—Eso espero.

—¿Te gusta mucho el dinero?

—El que no gano, no. El que gano honestamente —cortante— no lo perdono.

—¿Hablamos del beso que nos dimos?

Otra vez se irguió Ingrid.

—Del que me diste.

—¿Qué más da? Yo diría…

—Guárdate tu parecer.

—Es que me gustaría compartirlo contigo.

—Te digo que te lo guardes.

—Tienes temperamento —rió Omar dominándola— mucho temperamento. Eso me gusta. Creo que llegaremos pronto a un entendimiento.

—¿Tú y yo?

—Claro. ¿Por qué no? —y más flemático aún—. Oye, ¿qué me contestarías si te pidiera en matrimonio?

Ingrid no lo pensó demasiado.

Estaba harta.

Y dolida.

E inquieta. Sí, sí, empezaba a estar inquieta.

—Que te causaría demasiado placer siendo tuya, y no te voy a dar ese gusto.

Omar se creció.

—O sea, que… estás segura de que me gustaría hacerte mi mujer.

—No lo sabes tú mismo. Yo… —rotunda— sí.

Omar estuvo a punto de estallar. Creía tenerla dominada y se le escurría, y le decía aquellas cosas encendiéndolo más.

Por eso descargó un puñetazo sobre la mesa y crispó los dedos en el tablero, encogiéndolos y separándolos simultáneamente.

—Eres audaz. Y creo que muy cínica.

—Pero de momento, sea como sea, te intereso.

—Maldita sea.

—Pues déjame en paz, si no quieres oír ciertas cosas. ¡No... no! —gritó furiosa—. No me casaré contigo nunca. Ni seré tu amante, ni siquiera tu amiga. ¿Está todo bien claro?

Y empezó a trabajar, desoyendo cuantas impertinencias empezó a decir él. Tanto es así que, por último, Omar se dio por vencido y salió del despacho pero, a la hora de salida, regresó diciendo.

—Te quedas a trabajar.

—Ya lo sé.

En aquel instante sonó el teléfono, y Omar se repantingó en el sillón, oyendo cuanto decía y gozando con lo que decía. Era así de cruel.

—Lo siento, Roger.

—Pero Omar no me dijo que tuvieras un trabajo extra.

—Pero lo tengo.

—Oye, déjame hablar con Omar. Tú y yo quedamos en salir juntos. Entiende, Ingrid... Déjame decirle a Omar; que te dé permiso.

—Lo siento.

—¿Es que no quieres aceptar ese permiso?

—No.

—Pero...

—Te veré en casa después de las nueve.

—Está bien, está bien. Vaya contrariedad.

Ingrid colgó.

No miró a Omar, pero éste, sonriendo comentó.

—¿Tu enamorado?

—Como tú —así. Audaz y fría.

—¿Yo enamorado de ti? Mujer, no. Lo que yo siento es otra cosa.

Ingrid no levantó la cabeza.

Traducía unas cartas sin detenerse, pero la lengua no escribía, de modo que podía hablar.

Por eso dijo:

—Estás equivocado.

—¿Sí?

—Sí. Tú me amas, como Roger, como otros.

—Hubo muchos.

—Los que quise.

—Ya. Y fueron muchos.

—¿Te importa?

Le importaba.

Empezaba a importarle imperiosamente.

Pero prefirió callárselo.

—Tú tienes vieja escuela.

—Más limpia que la tuya.

—¿Cuántos hubo?

Ingrid no contestó.

Se enfrascó en el trabajo.

Pero Omar seguía allí provocándola.

—¿Sabes lo que te digo? Te gustó que te besara. Creo que te besé como ningún otro.

—Eres un vicioso.

—Bueno, ¿y qué?, todos los hombres lo somos, hasta que encontramos a la mujer ideal.

—Y supones que ésa soy yo para ti.

—¡Qué bobada!

Y salió del despacho furioso.

Era lo que ella quería. Que se fuese. Que la dejase en paz.

Trabajó aquellas horas sin parar, y a las nueve en punto, se puso la zamarra y salió.

Fue al llegar al patio.

—Estoy aquí.

No se volvió en redondo.

Pero supo que iría con él. Y no porque le agradara ir, sino porque Omar había decidido que fuese con él hasta la ciudad.

—Sube —ordenó Omar.

Fue lo peor.

La voz autoritaria de Omar. A ella, así... no se la convencía.

—Iré a pie —gritó—. ¿Te enteras? Iré como sea, menos contigo. No soy tu mascota, ni tu amante, ni una de tus pusilámines secretarias, a quienes deslumbraste con un prendedor de bisutería.

—Siempre di brillantes.

—A mí ni con brillantes.

—¿Con qué? —gritó ya exasperado.

—Tú no sabrás jamás cómo se puede convencer a una mujer como yo.

Y echó a andar.

Pero Omar dejó el auto y se fue tras ella.

—Empiezas a descomponerme, Ingrid —dijo más calmado y menos grosero.

La joven caminaba despacio.

Con las dos manos hundidas en los bolsillos laterales del zamarrón, no parecía inquietarla Omar. Y eso sí que desconcertó al millonario.

Caminó a su lado un buen rato en silencio.

Allá abajo, en una explanada, esperaba el último «bus». Ingrid no dudó en caminar hacia él.

—No irás a decirme que te vas a meter en ese cacharro.

—En ése me voy a meter. Y a estas horas, tal parece que es un auto de lujo. Buenas noches, Omar.

9

Pero Omar se deslizó a su lado.

Seguramente que era aquella la primera vez que el acaudalado Omar subía a un autobús de línea interior. Pero estaba allí, sentado al lado de Ingrid Lewis, como si no poseyera seis autos de lujo.

Ingrid, muy natural, miraba al frente como si fuese sola.

Y Omar iba diciendo entre dientes, malhumorado, descontento de sí mismo:

—Es la primera vez en mi vida que hago el Quijote.

—Nadie te lo pide.

—¿Y tu actitud?

—Mira, Omar, ya sabemos lo que hay que saber uno del otro. Que yo soy una mujer íntegra, no lo ignoras tú. Que tú eres un golfo con piel de santo, lo ignoran todos, pero yo, no. Puedes engañar a media humanidad, a mí, no.

—Siempre pagué bien los favores que me hicieron.

—Si eso no lo dudo —saltó Ingrid desdeñosa—. Pero a mí no se me paga.

—O sea, que quieres casarte conmigo.

Le miró.

No decía nada su mirada.

Ella sabía lo que sentía, pero Omar no podría adivinarlo en modo alguno.

Y empezaba a sentir deseos de hacerla suya como fuese, casándose o haciendo lo que hubiese que hacer.

Al fin, y al cabo, ¿por qué no casarse? Le iba llegando la hora, y un día u otro... tendría que formar un hogar, sentar la cabeza y ser, lo que realmente aparentaba que era. Tener hijos y que ellos heredaran todo su patrimonio.

¿Por qué no casarse con aquella esquiva?

Pero, no.

Él tenía tiempo de suicidarse.

Casarse tan pronto, no.

Todo era cuestión de paciencia. Ingrid no podría diferenciarse de las demás mujeres. Un día u otro se cansaría de negar, y...

—Pudiera ser que me sedujera ser tu esposa —rió Ingrid, y nadie en este mundo, y menos

Omar, podría saber si era sincera, porque la verdad es que no lo sabía ni ella misma.

—Es eso lo que esperas.

—¿Y por qué no?

Omar se pegó a ella.

Había poca gente en el autobús.

A aquella hora, por aquella ruta, viajaban pocos usuarios.

En la esquina más lejana del vehículo, viajaban ellos, y hablaban tan bajo, que nadie podría percatarse de lo que decían. Ni nadie lo intentaba, porque cada uno iba a lo suyo.

Conocían a Omar y sabían que Ingrid era la hermana del ingeniero jefe de las minas de Moore. Habían visto más de alguna vez a Omar con sus secretarias, y no podía llamarles la atención que fuera con una de ellas aquella noche. Un tanto les extrañaba que viajasen en el autobús, pero Omar era así de galante.

Todos opinaban que era un hombre excelente, y que no tenía reparo alguno en ser uno más, como cualquiera de sus subordinados. Ésta, y no otra, era la versión que con respecto a la humana personalidad de Omar Moore, tenían en todo Prescott.

—Supónte que estoy de acuerdo...

—Lo doy por supuesto.

—¿Qué pasará?

—¿Pasar, con qué, Omar?

—Entre tú y yo. ¿Me amas?

Ingrid soltó la risa.

Tan vibrante fue, que todos se volvieron a mirarla con simpatía.

El «bus» se detenía en aquel instante, y los primeros en salir fueron ellos. El muy falsario de Omar saludó aquí y allí. Después se fue con su secretaria.

—Así te admiran todos —dijo Ingrid desdeñosa.

—Me consideran uno más de todos ellos.

—Humano, generoso, y sin embargo, no dudarías en acostarte con una de sus hijas, si te gustara.

—Eres una cínica.

—Porque reflejo en alta voz lo que tú piensas y harías.

—Dejemos eso. Hablemos de ti y de mí.

Y al hablar la asía del brazo. La acercaba a sí.

Ingrid no retrocedió.

Sólo alzó la cabeza, y sus grandes ojos glaucos, se fijaron quietamente en la mirada verdosa del galanteador.

—Te voy a besar —dijo él, casi sin abrir los labios.

Ya lo sabía Ingrid.

¿Qué pasaría si ella se dejara?

¿Y qué pasaría asimismo, si ella besara a su vez?

Podía probar.

Darle la gran lección. Pero... pero...

No tuvo tiempo de reflexionarlo.

Omar la tenía en sus brazos y se pegaba con ella a una esquina de la calle en penumbra. Fue allí donde le buscó los labios. Sus dedos la sujetaban por la espalda, pero no estaban quietos. Había nerviosismo, impetuosidad, y al mismo tiempo una ansiedad indisimulable en todo él.

La besó largamente.

Ocurrió algo sorprendente.

Ingrid no huyó.

Abrió los labios.

Omar lanzó como un gemido.

Y cuando iba a besarla de nuevo, la cosa suave, voluptuosa que era Ingrid, se le escapó de los brazos. Quiso seguirla pero Ingrid desapareció por un recodo y, si bien Omar la siguió enloquecido, no pudo dar con ella.

No era hombre que se conformase.

Nadie al verla diría que había estado besándose con Omar.

Serena, mayestática, indiferente, ¿qué se proponía? ¿Encarcelar el golfo?

—Tardaste un poco —dijo Renata—. Ya íbamos a comer sin ti.

—Me entretuve.

Pero no dijo dónde ni en qué.

No era ella de las que daban explicaciones.

Se sentó a la mesa y casi en seguida apareció la doncella anunciando la visita de mister Moore.

Entonces sí se agitó Ingrid.

Pero nadie lo notó.

Pensó que era más audaz aún de lo que ella creyó jamás. No obstante, nada en su rostro denotaba sorpresa o sobresalto.

—Que pase, que pase —gritó Kirt, y él mismo salió al encuentro de su jefe y amigo—. Hola, chico. ¿Vienes a comer? Siéntate. Ingrid acaba de llegar.

Podía suponerse que Ingrid estuviese cohibida. Y lo estaba. Por primera vez se sentía culpable. Nada hizo por deseo o sexualidad. Lo hizo para demostrarle cómo obraba una mujer, y lo que esta mujer podía hacer sentir a un hombre.

Pero en aquel instante, si bien intuía de la forma que él le buscaba los ojos, ni por un segundo intentó negárselos. Le miró. Desafiante, burlona, sarcástica.

Omar estuvo a punto de estallar.

O se apartaba de ella, o le volvería loco. Pero estaba allí... porque no era tan fuerte como para huir de la atracción que aquella joven sabionda ejercía sobre él.

—Siéntate —decía Renata familiarmente—. No me extraña que te sientas solo en tu casa. ¿Por qué no te casas, Omar?

Omar se sentó.

Desplegó la servilleta. Sentado frente a Ingrid, miraba, ora a ésta, ora a sus anfitriones.

—Lo estoy pensando.

—¿De veras? —se ilusionó Kirt—. Es lo mejor que puedes hacer, Omar. ¿Sabes que tu padre deseó fervientemente tener nietos? Yo lo supe por casualidad. Ha muerto, desgraciadamente. Pero aun muerto y todo, estoy seguro de que el día que te cases, y tengas un heredero, tu padre lo celebrará en el otro mundo.

—No creas, es que nadie me quiere.

Ingrid comía.

No metía baza en nada.

—Claro —opinaba Renata—. Es que eres demasiado formal. Demasiado austero. Yo creo que las chicas se enamoran mejor de esos hombres que son algo golfos.

Una mirada cruzada entre los dos.

La de él, furiosa. La de Ingrid, sarcástica.

Omar pensó que la mataría por gustarle tanto.

La mataría y la adoraría.

¡Maldita sea!

—¿Tú crees? —mansamente.

—No tanto, no tanto, querida —decía su marido—. Mas prefiero que Omar sea tan honesto como es.

Ingrid tosió.

—Oh —exclamó Renata—. Has pillado frío, Ingrid.

—No.

—Esa tos…

—Ah.

Omar se mordió los labios.

Ingrid se estaba burlando de él, estaba seguro. De él y de todo cuanto decían Renata y Kirt.

La comida le resultó un suplicio y mucho más aún la velada, pues Ingrid, en un rincón, se entretenía en leer una revista como si estuviera sola en el salón. Como si lo ignorase, y en cambio, Renata y Kirt no cesaban de hablar, diciendo lo que Omar consideraba soberanas tonterías.

A las once decidió irse.

Y gozó, cuando Kirt dijo.

—Ingrid, acompaña a Omar al porche.

—¿Es que no sabes el camino, Omar? —preguntó descarada.

Renata lanzó una exclamación.

Kirt dijo sin preámbulos.

—¿Qué te pasa a ti, Ingrid? ¿Por qué faltas al respeto así?

—Perdón. Pero como Omar está aquí un día sí y otro también pensé...

—Acompáñalo, por favor.

Perezosamente, sin prisas, dobló la revista y se puso en pie.

—Bueno, bueno —iba diciendo.

Omar iba tras ella.

Sumiso, falsamente dócil, falsamente flemático, falsamente indiferente.

Al llegar ante la puerta del porche, el temperamento emocional que era Ingrid aquella noche, se volvió casi con violencia.

—¿Te proponías eso?

Omar sonrió.

Aquella sonrisa suya falsa, hipócrita, delatora de sus mentiras pecadoras.

10

De modo —dijo a media voz, oprimiéndose contra la pared en penumbra— que eres así.

—¿Así?

—Como eres, besando.

—Lo hice…

—¿Adrede? —Le cortó—. Pues… te has delatado.

—¿Y qué importa eso?

—Mucho. Me interesas más.

—Y tú gozas con esa versión falsa que corre por ahí sobre ti. Todos te consideran un virtuoso —con rabia— y no eres más que un vicioso pecador.

—Y te gusto.

—¿Pruebas?

—¿Probar qué?

Era un *«tête à tête»* desafiante.

Como si ambos midieran sus propias fuerzas.

Fuera como fuera, ella era más lista, y por ser tan femenina, salía ganando en la batalla entablada entre los dos.

—Te hago una proposición.

—Sucia —le cortó— como todas las tuyas.

—Proposición al fin y al cabo. Si los dos nos hemos quitado la careta, podemos abordar el tema con claridad —hablaba quedamente, de forma que sólo día podría oírlo—. Unas relaciones íntimas a solas. Sin que nadie penetre en nuestro secreto. Después...

—Sí, continúa —con desdén.

—Si me convences, me caso.

—Eres absurdo. ¿Cómo y en qué tono tengo que decirte que no me caso contigo?

—¿Estás segura?

—No seas memo.

Iba a tocarla.

Ingrid retrocedió con fiereza y se pegó a la pared opuesta.

—O te vas, o grito.

Omar, en la oscuridad, al sonreír, mostró todos sus dientes nítidos, que parecían brillar más en la oscuridad del porche.

—Ya te dije, y tú lo has comprobado, que ellos, Kirt y Renata, creen en mí.

—Ésa es tu arma.

—¿Qué dices de mi proposición?

—Antes muerta. Y no creas ampulosa y melodramática mi respuesta.

—Eres tonta.

—Y tú tan listo que te pasas.

—Dime, sé sincera. Si te pido en matrimonio, ¿qué?

—No —rotunda.

—No te creo.

—Prueba.

—Te pido.

—No. Mil veces no.

—¿Porque sabes que me harías feliz?

—Sí, por eso. Inmensamente feliz. ¿Qué dices ahora?

—Sabes mucho. Me asustas sabiendo tanto.

Por toda respuesta, Ingrid abrió la puerta.

—Sal.

—Dame un beso antes. Como antes...

—Eres absurdo. Te lo di así... para que aprendieras a diferenciar.

—Ingrid —la voz de Omar tenía una sonoridad ronca—. Ingrid... has logrado lo que te proponías. No te olvidaré en toda la noche, ni mañana, ni pasado, ni nunca.

Por toda respuesta, Ingrid volvió a decir.

—Sal. Buenas noches.

Iba a tocarla, pero Ingrid retrocedió y lo dejó solo en el porche. De lejos, aún siseó.

—Qué sabes tú de mí. Si aún no sabes nada. Ni sabrás nunca nada.

Después, dicho aquello, desapareció.

Casi en seguida se vio en el salón.

Otra vez fingiendo.

Otra vez con su expresión indiferente.

Otra vez como si nada le inquietara.

Y empezaba a inquietarla. Y mucho. Mucho más de lo que nadie se figuraba. Pero Omar no lo sabría jamás.

—¿Se ha ido? —preguntó Renata mansamente.

—Sí —y seguidamente—. Me voy a la cama. Buenas noches.

—Oye, irás a la cacería, ¿no?

—Supongo.

—Están preparando el palacete de campo de los Moore. No creas que seremos muchos —decía su hermano—. Los más amigos de Omar...

Se fue a su cuarto con la idea de que era un fósil.

Falso además. Tan falso como el mismo Omar.

¿Qué pasaría si ella dijera que Omar era un sádico, un golfo, un vicioso?

Renata le llamaría loca. Kirt le reprendería por calumniarle.

Era de risa.

Y la risa le dio. Una risa histérica en su cuarto, que nadie podía oír.

Casi en seguida sonó el teléfono.

¿Él?

Fue hacia el aparato y lo asió con fiereza.

Le diría... Le diría...

—Ingrid.

Roger.

Respiró mejor.

¡Pobre Roger! Otro que creía en Omar.

—Dime, Roger...

—Te estuve esperando.

—Tuve un trabajo extra... ya sabes.

—Debes decirle a Omar que te deje salir a la hora debida. Se lo diré yo mañana mismo.

—Díselo.

—¿Nos veremos mañana al salir de la mina? ¿Te recojo en tu casa?

—Bueno.

—¿Irás a la cacería?

—Creo que hay que ir, ¿no? Invita Omar Moore...

—Lo dices como si Omar fuese un monstruo.

—¿No lo es?

—¿Qué dices?

Otro necio, otro ciego. Que siguiera con su ceguera y su necedad.

Nada más colgar, sonó de nuevo el timbre del teléfono.

—Esta vez —dijo en alta voz— no me equivoco.

Levantó el auricular.

Tardó en preguntar quién era.

—¿Sí?

—¿Qué haces?

Él, claro.

¿Qué le estaba pasando a Omar?

¿Tan obsesiva era ella para él?

—¿Y qué te importa?

—Empieza a importarme.

—No has luchado nunca tanto, ¿verdad?

—¿Luchado?

—Con mis antecesoras.

—Vete al diablo.

—Nunca, ¿verdad?

—Oye... Te ofrezco la mitad de mi mina de cobre. ¿Qué dices?

—¿A cambio de qué?

—De estar conmigo un fin de semana.

—Ni siquiera eres delicado para decir tus sucias indelicadezas.

—¿Cómo se entiende eso?

—No —rotunda—. Nunca.

—Y si me caso contigo…

—Tampoco.

—No me lo creo ni aunque me lo jures. Soy un partido fabuloso. ¿Es que te consideras diferente a todo otro ser humano?

—Puede que lo sea. Ah, y tengo sueldo.

—Daría algo por estar…

—Cállate.

—Contigo.

Colgó.

Era demasiado.

Quedó como lasa en el lecho.

¿Qué le pasaba a ella?

¿Qué cosa tenía aquel hombre para… conmoverla así?

Sonó de nuevo el teléfono.

Que sonara. No se levantaría.

No era capaz de oír a Omar ofendiéndola tanto.

«Tal vez tuve yo la culpa por provocarlo», pensó.

El timbre seguía sonando.

No le escucharía.

Se tapó los oídos con las manos, y cuando el timbre se cansó de sonar y cesó, respiró mejor.

A la mañana siguiente, cuando apareció en la oficina, él ya estaba allí. La miró como si la desnudase.

—Vaya, tienes miedo.

Era así.

Un saludo muy de él.

Levantó la cabeza provocativa.

—¿Y qué? Soy humana, ¿no?

—Ya empiezo a dudarlo.

—Déjame en paz y dame mi trabajo.

—Escucha. Ayer no tuviste valentía para hablar conmigo por teléfono. ¿Cómo le llamas tú a eso?

—Desdén. Desprecio. Rabia de que me des la lata continuamente.

—No cejaré.

—Pues pierdes el tiempo.

—Lo veremos.

Nunca debieron de mandarla allí. Dejarla sola con él era peligroso porque Omar, de por sí, era ya peligroso.

Pero como nadie sabía cómo era, o por lo menos, todos le consideraban un virtuoso...

—Díctame el trabajo o me marcho...

—¿Eres capaz?

Le desafió.

—Soy capaz. Ya sabes que soy capaz de muchas cosas.

Claro que lo sabía.

Por eso le gustaba tanto. Por eso calaba tanto. Por eso estaba siendo difícil pasar sin ella.

El día de la cacería... sería otra cosa. Se juraba a sí mismo que lo sería...

11

Se extrañó que no le diera más la lata en toda la mañana.

Es más, hasta se fue del despacho y no apareció en todo el resto del día. Se fue ella a comer, cuando sonó la campana y regresó al despacho y se topó con un apoderado.

Quedó algo envarada.

—¿Y el jefe? —no pudo por menos de preguntar.

Robert Weston le entregó unos documentos.

—Recibí orden de darte el trabajo, Ingrid —dijo amable—. No sé dónde anda el jefe.

En cualquier otro momento no habría insistido. Pero en aquél... estaba demasiado habituada al asedio, y en el fondo, muy en el fondo, se sintió como despechada por la falta de atención de Omar Moore.

—¿Es que ha salido de viaje? —preguntó.

—No lo sé.

Y notó que, en efecto, Robert Weston no sabía nada.

A su pesar, trabajó febrilmente toda la tarde, y cuando sonó la campana dando fin a la jornada del día, y se vio mezclada con los demás empleados en los pasillos del edificio de la mina, en seguida se topó con Roger.

—Si te parece —le propuso Roger— podemos dar un paseo antes de volver a casa —miró a lo alto con vacilación—. Los días van aumentando. ¿Sabes que a mí me gusta la primavera?

Tenía en la boca la pregunta: «¿Dónde anda Omar?». Pero no.

Sería como poner al descubierto su inquietud y su desconcierto.

Por eso, dócilmente, se fue con Roger, y tras de llegar al centro y tomar una copa en una cafetería, aceptó ir con él a una sala de fiestas. No había muchas en Prescott. Una pequeñísima ciudad, con tan sólo veinte mil habitantes, si llegaba a ese número, que lo dudaba, todo el mundo se conocía. Así que se pasó parte de la tarde diciendo, «adiós», «hola», «qué tal».

Al llegar a la sala de fiestas y tras dejar el abrigo de entretiempo en el guardarropía, Roger la tocó en el brazo diciendo.

—Mira dónde tenemos a nuestro jefe supremo.

El corazón de Ingrid dio un vuelco en el pecho.

Lo buscó con los ojos casi cerrados. No podía mostrar en aquellos ojos suyos el despecho, la rabia, los... ¿celos? Qué absurdo.

Lo vio junto a una joven rubia, de grandes ojos azules. Estaban ambos sentados ante una mesa y tenía ante sí sendos vasos de whisky.

Roger decía indulgente.

—Va siendo hora de que Omar piense en el matrimonio. Yo creo que no se casa por timidez.

Estuvo a punto de llamarle idiota.

Pero se limitó a callar.

—¿Ante qué mesa nos sentamos, Ingrid?

En cualquiera.

No le daba más una que otra.

¿Quién era la chica que acompañaba a Omar? ¿Acaso buscaba otra táctica, mediante los celos?

¡Bah!

Ella no era celosa, ni le interesaba Omar hasta el extremo de sentirse ofendida por verle con otra.

¿Quién era aquella otra?

—¿La conoces? —preguntó con entonación totalmente indiferente.

No se refería a nadie.

Pero Roger respondió.

—Claro. Es Helen Dreye. Una chica de lo mejor de aquí. ¿No has oído nunca hablar de los Dreye?

No. Ni le interesaba.

Por lo visto estaba claro que aquella vez Omar elegía lo mejor para dañarla.

Encontró sus ojos. ¿Burlones? ¿Desafiantes? Pasó a su lado como si no le reconociera, y tuvo que oír la opinión que Roger tenía de aquello.

—Un día u otro, el pobre Omar ha de casarse. Yo creo que lo necesita. ¿Sabes lo que pienso?

No preguntó qué.

Fumaba.

Nadie como ella para aparentar indiferencia. Aspiraba el humo y lo expelía, como si jamás hiciera cosa que más la entretuviera.

—Toda la vida trabajando, y nunca tuvo tiempo de salir con mujeres.

—Te refieres a Omar, ¿no?

—Claro.

—Ah. Tú opinas que es muy tímido, casi acomplejado...

—Pues no me extrañaría —rió Roger indulgente, dándoselas de saberlo todo, y resulta que no sabía nada—. Nunca se le conoció una novia. A veces, hasta llego a pensar que se siente acomplejado con una mujer. En fin, ojalá cuaje con ésta. Helen es una rica heredera, muy apropiada para ser la esposa de Omar.

—Un whisky —pidió Ingrid al camarero cuando apareció ante ellos.

—Dos —dijo Roger.

—Supongo que no sería ésta la primera vez que se vio con ella...

—¿Con Helen? No sé. Yo es la primera vez que los veo.

—Ah.

—Tú pareces tener una opinión distinta de Omar.

—¿Qué tipo de opinión?

—No sé... Cuando hablas de él, lo haces algo desdeñosamente.

Había que despistar a Roger. Por eso dijo mansamente.

—Yo siempre tengo una no muy viva opinión de un hombre que se siente tímido ante las mujeres...

—Es debido a su tremenda honestidad.

—Vamos —dijo Ingrid asqueada y sin poderse contener.

—¿Ir? ¿Adónde?

—Me cansa este lugar. Ah, pero tú puedes quedarte. Yo prefiero pasear.

—No, mujer. Me voy contigo. Pero estaba a gusto aquí.

Ella no.

Ella detestaba oír todos los días la hermosa opinión o concepto que aquellos necios, incluyendo a sus hermanos, tenían del sádico más sádico de la creación.

Por eso salió. Y aun tuvo valor, cuando pasó junto a Omar, de saludar con un delicado...

—Buenas tardes, mister Moore.

Así. Como si fuese la más humilde de sus subordinadas.

Por lo visto, la táctica de Omar Moore no fue pasajera.

Aparecía poco por el despacho. Durante aquella semana no había más que comentarios en todas las dependencias de la mina. Por fin el amo se dejaba ver con una muchacha, y aquella muchacha era nada menos que Helen Dreye, una rica heredera muy apropiada para ser la esposa de Omar...

Cuando de tarde en tarde aparecía en el despacho, se limitaba a dar órdenes. La miraba sin ningún resquemor, y hasta se mostraba indulgente con los pequeños defectos de Ingrid referentes a su escritura a máquina.

—Es que estoy contento —le dijo aquel día—. Creo que voy a casarme.

Mejor que se quitara de en medio.

Mejor que la dejara en paz.

Pero aún no lo creía capaz de casarse, olvidando sus malas costumbres de golfo vicioso.

No se preguntó si le dolía verlo con otra. No se consideró jamás cobarde y de repente... se sentía débil para ser sincera consigo misma y hacerse aquella escueta y directa pregunta.

—¿No me felicitas, Ingrid?

—Cuando te vea casado.

—Como tú me desdeñaste...

Le miró cegadora.

Omar fantaseó que la besaba de aquella manera, y le entró no sé qué cosa por el cuerpo. Hubo de dominarse, y para ello salió disparado, sin responder o hacer más preguntas.

Durante aquellos días, fue como un suplicio de Tántalo oír los comentarios en la oficina, en su casa, entre Kirt y su mujer, entre Roger y los demás asesores jurídicos. Por lo visto, todo el mundo andaba muy contento de que, al fin, Omar dejara a un lado su celibato.

—Estoy seguro —decía Kirt aquel día en la mesa— que es un tipo casto.

Ingrid se atragantó.

—Ingrid —exclamó Renata—. ¿Qué te pasa?

—La comida que me... pasó al revés.

—¿Tú qué opinas de Omar y de esa boda?

No creía en aquella boda.

Pero el hecho de que todo el mundo comentase sobre ella, bastaba y sobraba para que a ella la tuvieran sobre ascuas.

¿Qué le importaba, al fin y al cabo? Nada. Pero le sacaba de quicio que consideraran casto al tipo más sexual que ella conoció en su vida.

—Hasta temo —seguía diciendo Kirt— que le falle Helen Dreye. Las mujeres, hoy día, prefieren a los hombres avispados, y si bien Omar es un excelente hombre de negocios y será un marido honestísimo, como novio temo que sea algo soso. Es... ¿Adónde vas, Ingrid?

No soportaba aquellos comentarios.

Omar Moore un tipo soso cuando era el más... el más... canalla, vicioso, golfo sin escrúpulos de la creación.

—Estos días —remató Renata— pareces malhumorada.

Estaba a punto de decir cuanto sabía de aquel sádico falso.

Pero como al fin nada le iba ni le venía en el juego que se traía Omar, allá la opinión equivocada de todos, y la sucia maniobra del millonario.

Fue una semana odiosa, y al llegar el domingo, inesperadamente, Omar apareció en la terraza de su hermano, cuando ella aún no había bajado de la alcoba pero, como tenía la ventana abierta, oyó toda la conversación sostenida con Kirt.

—Hombre, Omar. Hace días que, como andas tan entretenido con Helen, ni te veo. ¿Puedo felicitarte?

Ingrid, quedó clavada en el umbral de la ventana, sin asomar la cabeza.

Hacía una espléndida mañana primaveral.

Kirt y Renata se iban de excursión minutos después, y Kirt tomaba el sol mañanero, entre tanto Renata daba los últimos retoques a su tocado.

—No lo sé aún, Kirt. Todo depende.

—¿Depender de qué? Necesitas casarte, Omar, y perdona que me inmiscuya en tus cosas.

—Puedes... puedes hacerlo —decía Omar con voz de niño bueno. ¡Falso, pensó Ingrid. Hipócrita!— No sé si tendré agallas para decírselo a Helen. La falta de costumbre ¿sabes?

¡El muy...!

Tuvo ganas de asomar la cabeza por la ventana y desenmascararlo.

—Hombre, eso es fácil. Díselo como lo sientes, y en paz.

—Sí, creo que un día de estos lo haré. ¿Qué hace tu auto ahí? —le oyó Ingrid preguntar sin transición.

—Me voy de excursión al campo con mi mujer.

Un silencio.

Después...

—¿Va tu hermana?

—No. Ya sabes cómo es. Rara y personal. Ella no se aburre nunca, aunque se quede sola.

—Yo también estoy hoy solo.

—¿Sí? ¿Y Helen?

—Se ha ido a su casa de campo con sus padres, y a mí no me apetecía. Me quedo en Prescott. Venía a invitar a Ingrid. Tal vez quiera dar un paseo en auto conmigo…

Apareció Renata con el cesto de la comida.

—Oh, estás aquí, Omar. ¿Qué tal tus cosas? Por ahí dicen que te casas.

—Es posible —admitió Omar con vocecilla tímida—. Que os divirtáis. ¿Puedo llamar a Ingrid?

—Claro —dijeron los dos a la vez.

12

—Ingrid —llamó Kirt a gritos.

Tardó en salir.

Necesitaba decidir la actitud a seguir. Si se negaba a salir con él, daba lugar a que Omar pensara la verdad, que le molestaba verlo con otra mujer. Si salía demasiado aprisa, podría interpretar Omar que estaba ansiosa. Y como era muy inteligente, salió sin ninguna prisa.

—¿Qué pasa, Kirt? Ya sé que os vais —como si no viera a Omar, que se hallaba no lejos de su hermano en la terraza—. Podéis iros.

Reparó en Omar.

—Ah, pero también tú vas de excursión.

Omar tenía la cabeza alzada y sus ojos la miraban fijamente.

—Yo me quedo. Venía a buscarte para dar un paseo.

—¿Y tu novia?

—Se ha ido. Estoy más solo... Una amiga espiritual me hace mucha falta hoy.

—Está bien —con ironía—. Bajaré tan pronto termine —miró a Renata y a Kirt—. Podéis iros. Omar me esperará tomando el sol en la terraza.

Se deslizó de nuevo hacia el interior de la alcoba y lanzó una breve mirada al espejo.

Vestía un pantalón blanco, un suéter rojo, metido por dentro del pantalón y sujeto por un cinturón ancho color negro. Una chaqueta de fina lana por los hombros. El cabello suelto, la mirada viva...

«Ten cuidado, Ingrid. Si ni tú misma sabes lo que te pasa... será mejor que sigas ignorándolo.»

Salió al rato.

Cuando llegaba a la terraza, ya el auto de su hermano se perdía en la amplia avenida.

Nada más verla, Omar fue hacia ella. Vestía de gris muy claro. Traje entero de tipo sport. Una camisa verdosa de pelo, sin corbata. Deportivo, eufórico, guapísimo...

Ingrid sostuvo valientemente la mirada que Omar lanzó sobre ella.

—Estas de figurín —dijo ponderativo.

—¿Qué quieres de mí?

Te reirás si te lo digo.

—¿Has venido a provocar mi ira, a contarme tus cosas o a desahogarte? Porque mira que decirle a Kirt que eres tímido con las mujeres... —y riendo, como si la cosa le importara un comino—. ¿Qué? ¿Qué has decidido con la pobre Helen Dreye? ¿Hacerla tu esposa, o hacerla tu amante?

—No perderás tu ironía. Y, por supuesto, el pésimo concepto que tienes formado de mí, me ofende mucho, aunque no siempre lo diga. ¿Puedo sentarme un rato? Da gusto estar aquí.

Por toda respuesta, Ingrid se dejo caer en el sillón de mimbre, y entró con un mudo gesto, otro sillón no lejos de ella donde Omar se sentó.

—Me gustaría ser sincero contigo —empezó Omar, no engañando a Ingrid, que estaba de vuelta de muchos sitios, aunque Omar creyese lo contrarío— hablarte de mí mismo, de mis aspiraciones. En efecto, me llegó la hora de casarme.

—Ah.

—Lo tomas a broma.

—Si lo dices tú... ¿por qué he de pensar que siempre eres un mentiroso?

—Me voy a casar con Helen.

—Perfecto.

—No lo crees.

—¿Pero no lo estás diciendo?

Omar se inclinó hacia adelante.

Por supuesto, estaba mintiendo. Jamás se le ocurrió casarse con la pava de Helen. Después de mucho pensar, él había llegado a una conclusión. Necesitaba una mujer como Ingrid. Inteligente, viva, apasionada, temperamental, tal vez un poco... como él mismo. E Ingrid lo era.

—¿No te dolería que me casara con ella, Ingrid?

Mucho.

Empezaba a presentir que mucho. Pero...

—Al contrario. De ese modo te quito de delante.

—¿Y si te pidiera que fueses tú mi mujer?

—Si sabes la pésima opinión que tengo de ti... ¿cómo me haces esa pregunta? No. No me casaría contigo.

—Pero irás a mi cacería.

¿Qué tenía que ver lo uno con lo otro?

Mucho.

Para ella, nada. Para él... mucho, porque había decidido la mayor barbaridad de su vida. Después... ya veríamos lo que resultaba.

Él tenía que conseguir a Ingrid fuese como fuese, tampoco quería pordiosear cariño. Obligarla... por las circunstancias, ¿por qué no?

¡Ja!

—Está bien. No insisto —dijo consultando el reloj—. Lo mejor es que te deje en paz. Me iré a la casa de campo de Helen.

—Haces muy bien —dijo Ingrid, y un buen observador hubiera notado fácilmente su despecho.

Omar se puso en pie y volvió a lanzar una mirada a su reloj de pulsera.

—Ya sabes que la cacería es el viernes próximo. Dos días en mis posesiones... Tengo muchas ganas de cazar.

—¿No llevarás a Helen?

—Claro.

—Te felicito, Omar.

La miró cegador.

—Tú... no te casarías conmigo ni a la fuerza.

—No.

—¿Por qué?

—Porque no me gustas, y porque sé que tú no tienes madera de casado, y porque yo, si me caso algún día, exigiré demasiado a mi marido. Se lo exigiré todo.

—¿Qué darás tú a cambio?

Lo dijo con fuego.

—Todo.

Omar se estremeció.

Dio un paso al frente y la miró muy de cerca. Como era más alto, hubo de doblarse.

—¿Y qué es todo?

—Todo —dijo sosteniéndole la mirada—. ¡Todo!

—Eres…

Huyó de allí por temor a hacer con ella una barrabasada.

Ingrid lo vio perderse en la calle y luego en su descapotable rojo.

Odió a Helen.

¿Qué tenía para convencer a aquel hombre?

Anochecía.

Se hallaba sola, sentada en un banco del jardín.

Las luces del porche aún no se habían encendido.

Qué cosa más rara en ella. Estuvo todo el día por aquel lugar. O tendida sobre la hierba, o sentada en aquel banco casi oculto entre los rosales. Estaba apática, tonta, sensitiva…

No hizo caso de Roger cuando la llamó, ni quiso salir con Laura, su amiga. Prefería aquella soledad.

—Hola.

Casi dio un salto.

Tenía a Omar Moore allí. Aparecía ante ella como un fantasma.

—¿No ha venido… Kirt?

—Sabes de sobra —dijo reponiéndose— que no.

—Ah.

Y se sentó a su lado.

Se sentó tan cerca que la rozó con su cuerpo. Pero Ingrid no hizo nada por alejarse.

Inesperadamente, Omar pasó un brazo por el del asiento y se quedó así, pegado a ella, silencioso, ¿emotivo?

—No encontré a Helen.

—Ah.

—Por eso venía por aquí y vi tu sombra.

—Ah.

—¿Qué te pasa?

—¿Pasarme?

Omar metió la cabeza bajo la de ella.

—¿Cenamos por ahí?

—¿Y después qué pedirás?

Hablaban bajo.

Casi se rozaban sus bocas.

Si pensó Omar que Ingrid iba a huir, se equivocó.

—No sé. Lo que sea. ¿Por qué has de tener siempre esa interrogante en los labios? ¿Tan perverso me crees?

—Mucho.

—Pero a veces te gusta mi perversidad.

—No seas fanfarrón.

La pegó a su cuerpo.

Y le buscó los labios.

Primero con ira. Después... como si la venerara.

¿Y si le dijera en aquel instante lo mucho que la necesitaba en su vida? ¿Lo mucho que creía amarla? Ingrid se reiría de él.

Pero la conseguiría de todos modos, sin necesidad de confesarle su tremendo cariño.

La besó en plena boca mucho tiempo. Y de repente ocurrió lo que aquella vez. Ingrid abrió los labios. Un segundo. Tal vez más o menos.

Pero cuando Omar quiso darse cuenta, ya no la tenía ni en sus labios ni en sus brazos. Ingrid reía bajo la luz de la luna, erguida ante él, burlona... ¿Se burlaba de sí misma o de Omar?

—Eres... tan... tan...

—Dilo.

—Como yo. Ni más ni menos. Lo haces todo adrede. Todo.

—Buenas noches, Omar.

—Óyeme.

—Buenas noches.

—Te digo...

Casi gritaba.

Pero Ingrid se iba.

Omar intentó correr tras ella. Pero cuando llegó porche, la puerta de éste casi le dio en las narices.

—Ingrid...

—Aprende.

Y oyó sus pasos perderse en el interior de la casa.

Omar apretó los puños y un momento después se lanzaba a la calle aún lleno de rabia.

La deseaba como un loco.

La quería.

Iba a ser muy difícil que Ingrid creyera en él.

Súbitamente se dirigió a casa de su tío Ted. Ted quedó soltero, padecía gota, pero en sus tiempos jóvenes fue un buen Casanova. Tenía que desahogarse con alguien. Decirle a alguien lo que pensaba hacer.

Encontró a su único tío enfrascado en la lectura de un libro de aventuras.

—Tú por aquí —dijo el anciano al verlo—. ¿Desde cuándo pierdes el tiempo visitando a un anciano? La última vez que me viniste a ver fue para pedirme un consejo, ya ni recuerdo sobre qué. Sobre tu negocio, creo. ¿Qué porras te pasa hoy?

13

Amo a una mujer.

—Ja.

—Tío Ted…

—No me grites, que no estoy sordo. Me extraña mucho que un tipo como tú se haya enamorado. Pero si tú lo dices… ¿Qué pasa con ella?

—No me cree.

—Como yo.

—Tío Ted…

—Bueno, bueno, cuéntalo todo.

Se lo contó con ronco acento.

—¿Y ahora qué vas a hacer para convencerla?

—No me da la gana de convencerla.

—Ah… ¿entonces, qué?

—He de aparentar que algo me fuerza a casarme con ella. Como si le hiciera un favor.

—Eres un cerdo.

—Sea lo que sea. No me da la gana, te digo, que me considere un pobrecillo enamorado. Haré lo que te dije.

—Eso es una marranada.

—Pero ella se casará conmigo.

—O no.

—¿No? ¿Eres tonto, tío Ted? ¿Qué mujer se expone a los comentarios de la gente?

—Ella. Si es como yo supongo, ella. Prueba y verás. Seguro que te llevas el mayor chasco de tu vida.

—¿Cuánto apuestas?

—Nada. Me basta con tu fracaso. Te aseguro que me voy a divertir. Ah, y sea con ella o con cualquier otra, te aconsejo que dejes de hacer el ganso y te cases. La soledad en que vivo yo no se la deseo ni a mi peor enemigo.

Omar se puso en pie y se asomó al ventanal.

—Ojalá llueva para la cacería. No la suspenderé. Si llueve, mis planes saldrán mejor.

—Ja.

Se volvió con violencia.

—¿No lo crees?

—Yo qué sé. Me parece que esa Ingrid es toda una mujer. Lástima que yo tenga gota y demasiados años. ¿Qué pasó con Helen?

—Es una pava.

—¿Todas las otras?

—Tío...

—No, si a los demás puedes engañarles. A mí... ¡Je, je! Fui tan perro como tú: El infierno está en este mundo, ¿sabes? Aquí se purga, porque yo lo estoy purgando. Si tú te andas descuidado, también lo purgarás aquí. ¿Por qué mierda no vas a ella y le dices que la quieres de verdad? No para pasar el tiempo, como hiciste hasta ahora. Sino para toda la vida. No para hacerla tu amante.

—Le pedí que se casara conmigo.

—¡Ja! Como si no tuviera importancia, ¿eh? Eso no lo perdona una mujer de verdad. Y por obligación, para defender su moral, para acallar las lenguas, una mujer del tipo de Ingrid, tampoco se casa. Ese tipo de mujeres se responsabiliza demasiado, por eso me gusta a mí. ¿Y sabes lo que te digo? Yo no encontré una así, porque si la encuentro, no estoy tan solo ahora. Ya sabes mi parecer.

—Jamás le diré que la amo.

—¿Nunca?

—Al menos mientras no sea mi esposa a la fuerza.

—Naciste bobo, y bobo vas a morir, si piensas que a esa chica llamada Ingrid, le vas a imponer la opinión ajena. A esas mujeres les basta ser fieles a sí mismas, y lo demás... la opinión de los otros, les da la risa.

—Me parece que te equivocas.

—Mereces que no te ame en toda tu vida. Por idiota que eres.

Se fue de allí peor de lo que entró.

Se equivocaba su tío con toda su sabiduría y experiencia.

Él conocía bien a las mujeres.

Prescott era un pueblo, y la gente se enteraba de todo, y en la cacería estarían todos los empleados de sus empresas.

¡Ja!

Claro que se equivocaba su tío.

Decidió no tener una conversación a solas con Ingrid, entre tanto no tuviera lugar la cacería, y se fue de viaje durante una semana.

Llegó justamente la víspera de la cacería. Citó a todos sus empleados, dispuso lo que había que disponer, y tras cerciorarse de que Ingrid no faltaría, se fue a su casa y durmió a pierna suelta. A la mañana siguiente fue el primero en desplazarse a su finca de recreo.

La jauría de perros estaba preparada. Los monitores y los caballos.

También estaba Ingrid, llegaba en el auto de su hermano hacia las doce del mediodía.

—Iniciaremos la cacería a las dos de la tarde —dijo mirando a todos sus empleados—. Cada uno tiene su potro disponible. No se aleje nadie demasiado. Es fácil perderse en los bosques…

Y más tarde añadió.

—Tenemos una caza abundante. De modo que cada uno busque su presa. Los perros serán soltados en seguida. Cuidado con los errores.

Después se acercó a Ingrid.

—¿Te sientes animosa, Ingrid?

—Mucho.

—Mejor. Puedes seguir —montó y añadió aún—. Yo te haré cobrar las mejores piezas.

—¿Dónde has dejado a Helen?

—No la invité, porque esta fiesta es sólo para mis empleados.

Alguien dijo como una sentencia.

—Esas nubes amenazan lluvia.

Omar no quiso oír.

Miró a Ingrid, quien, jinete en su montura, sacudía la fusta, y le gritó.

—Vamos, Ingrid.

La joven le siguió a galope.

Sin percatarse de lo que hacía, se limitó a seguir a Omar. Los jinetes seguían dispersándose. Cada uno iba por su lado. Omar sabía adónde iba. No sería fácil regresar de aquel lugar, a menos que se supiera el camino, y sólo él conocía el atajo.

Galopó, como si lo único que le interesara fuera dar alcance a los perros, pero resulta que los perros indicaban hacia otro extremo. Mas, como Ingrid no estaba habituada a una cacería de aquellas, ni se percató de ello.

Galopaba tras Omar.

Unos jinetes que iban tras ellos se desviaron, más habituados que Ingrid a una cacería anual de aquel tipo. También Kirt y Renata se alejaron hacia el otro extremo.

Llegó un momento en que el bosque se espesaba más y más, pero Omar iba mostrando el estrecho sendero, y los potros, tanto el de Omar como el de Ingrid, parecían conocer bien aquellos vericuetos.

Las nubes se hacían más espesas. Incluso caían algunas gotas de agua.

Ingrid, sin hacerle correr al caballo, miró a lo alto con una rápida ojeada.

Iba a tronar.

—Omar —gritó.

Pero Omar seguía galopando.

—Omar, que va a estallar la tormenta, y no oigo los perros.

—Estamos llegando —le gritó Omar haciendo vocina con las manos.

La primera vez en su vida que Ingrid fue ingenua.

Y es que desconocía cómo se llevaba a efecto un cacería y los lugares que recorría. Apareció ante ellos una terrible cascada y seguidamente otro bosque menos espeso.

El caballo de Omar dio un viraje y se lanzó por un sendero más ancho.

—No oigo los perros —gritaba Ingrid.

—Están por ese lado.

Llovía ya a cántaros.

El cielo parecía abrirse en rayas multicolores seguidas de un trueno ensordecedor.

Omar detuvo su montura.

—Habrá que refugiarse —dijo, echando pie a tierra—. Mira, aquí tenemos una cueva de pastores.

Ingrid estaba empapada.

—Habrá que bajar, sí.

Y se tiró al suelo, dejando el potro y corriendo hacia el cobertizo.

Jadeaba.

El agua la había empapado.

—Será mejor que te quites la casaca —le aconsejó Omar haciendo lo propio.

—Pero... está parando y podremos reunimos con los demás.

No iba a parar.

Omar conocía las lluvias de aquel bosque.

Empezaban y casi siempre duraban más de doce horas, las suficientes para que los encontraran allí al día siguiente.

—Será mejor que te sientes con calma. Quítate la casaca y cuélgala ahí. Tal vez se seque.

—Pero... ¿no vienen los otros detrás?

—Me temo que no. Nos hemos perdido.

Ingrid le miró interrogante. Con rabia.

—¿Nos hemos perdido o has hecho tú que nos perdiésemos?

Omar se echó a reír con desenfado.

—Mira, Ingrid, no pensarás que te voy a seducir.

—No. No, porque no vas a conseguirlo.

—Pues hubiese sido delicioso. Pero, no, no me mires así. No lo voy a intentar. Tan pronto pase la tormenta, nos vamos.

—Está anocheciendo.

—Por supuesto. Pero yo creo saber el camino de regreso.

Por toda respuesta, Ingrid se sentó en una piedra y buscó cigarrillos en el bolsillo.

—Están mojados.

—Toma.

Tenía ante ella una pitillera de plata y un encendedor secos.

—Gracias.

Fumó aprisa.

Nerviosa.

—No me gusta esta situación —dijo malhumorada—. Nada. No me gusta nada.

Omar se sentó en una piedra enfrente de la joven. La miró quietamente.

—Podemos pasar el tiempo jugando a las cartas —dijo jocoso—, ¿las has traído?

—Claro que no.

—Pues podemos hablar. ¿De nosotros? ¿De los otros? ¿De qué?

—No me interesa hablar.

Y guardó un hosco mutismo.

Empezaba a pensar que aquello era una sucia encerrona de Omar.

14

Pero no se lo dijo.

Ni para sí quería admitirlo.

Los relámpagos y los truenos se sucedían de una forma alarmante. La lluvia, al caer en la puerta del cobertizo, producía un ruido casi lúgubre.

—¿Te has visto más veces… en una situación así? —preguntó de mala gana.

—Claro.

—Con alguna de tus más esquivas… secretarias, ¿no?

Omar empezó a reír beatíficamente. Tenía en aquel instante expresión de niño grande travieso. No parecía un malvado, y no lo era. Amaba a aquella mujer, y no le daba la gana de decírselo. Pero iba a ser su mujer, a menos que se expusiera a ser el blanco de todas las miradas porque, por primera vez en su vida, él, Omar, iba a dejar entrever que tuvo que ver con aquella chica, y que como hombre honrado que era, estaba dispuesto a reparar su falta.

Era una cochinada, ya lo sabía. Pero... al menos dejaba a salvo su amor propio, y Dios, en su enorme inmensidad, perdonaría la forma de llegar al objetivo propuesto. El día que se casara con aquella muchacha, que formara un hogar con ella e incluso tuviera hijos... seguro que la generosidad divina le disculparía.

—No tuve necesidad, Ingrid. Te lo digo en serio.

—Así te has hecho tú.

—¿Tan perverso me crees?

—Prefiero... no creer nada. Espero que cese de llover y me lanzo al bosque.

—Sería como meterte en la boca de un lobo feroz. Ten presente que ese bosque no se atraviesa con tanta facilidad.

Le miró inquisidora.

—¿Qué te propones, Omar?

—Nada. Guarecerme del agua y de los relámpagos. Bajo los árboles, la tormenta es peligrosa.

Empezaron a pasar las horas.

Ingrid no se movía de la piedra.

Llegó un momento en que sintió frío y sintió a la vez, cómo Omar le echaba su zamarra encima.

—¿Y... tú?

Omar se alzó de hombros.

—No tengo frío.

—Lo tienes.

¿Qué les pasaba a los dos?

¿Es que aquella soledad los volvía más comprensivos?

—Déjate caer sobre la paja, Ingrid —dijo Omar suavemente, distinto, emotivo incluso—. Yo te doy mi palabra de que no te molestaré.

—Pero...

—Al menos por una vez, cree en mí.

—No creeré jamás.

Y no se movió.

Mas, como el tiempo pasaba y no cesaba de llover, y la noche avanzaba terminó por acurrucarse en la paja y cerrar los ojos.

Sentía ganas de llorar.

No por lo que dijera o pensara su hermano al día siguiente, sino por aquella situación absurda, que suponía una contrariedad, una tonta complicación.

Por su parte, Omar se sentía satisfecho.

Ni por un instante se arrepintió.

Pero tampoco, ni por un instante, se le ocurrió abusar de aquella soledad junto a Ingrid.

Viéndola dormida, sintió la sensación de que todo en él se purificaba. Y hasta estuvo a punto de inclinarse sobre ella y confesarle todo su inmenso cariño.

Porque dudar ya de lo mucho que la amaba, sería de un tonto infantilismo. Aquello que él sentía por Ingrid, era distinto, opuesto a todo lo que sintió por las demás mujeres que pasaron por su vida.

A media noche, Ingrid abrió los ojos y se incorporó como impelida por un resorte.

—¿Qué hago aquí? —y como si se diera cuenta en aquel instante de todo lo ocurrido, juntó las manos bajo la barbilla y guardó un hosco silencio.

—Ingrid...

—Mejor que no me hables.

—Yo no soy responsable...

No le dejó terminar.

Alzó la mano.

La agitó en el aire con energía.

Y entonces, Omar alcanzó aquellos dedos por el aire y los apretó entre sus dos manos.

—Ingrid, comprende...

—Suelta —gritó—. Suelta mis dedos. Me da... me da...

Le ahogaba la ira.

Le miró con odio, pero Omar, sin soltar sus dedos, dijo quedamente, calladamente, calmando un tanto su íntima ira.

—Ingrid... amanecerá en seguida y nos vendrán a buscar. Seguro que nos andan buscando ya.

—Sí.

—Oye escucha...

—Suelta mis dedos...

No le hizo caso.

Los llevó a la boca. Los besó con unción.

Ingrid le miró desconcertada.

Pero no se hizo ninguna ilusión. Creía conocerlo y sabía ya que con todas haría igual.

Por eso los arrebató de un tirón y quedó medio incorporada hacia él.

—Eres un animal, una bestia, Omar. Pero conmigo...

—Me casaré contigo, Ingrid.

Ya estaba dicho.

Al pronto, ella se le quedó mirando asombrada. Después rompió en una histérica carcajada.

—Y casándote conmigo crees cumplir ampliamente con tu deber.

—¿No es así?

—No, no, porque yo te evito ese deber. No me voy a casar contigo —y respirando profundamente—. No te daré ese inmenso placer.

—¿Es que para ti no lo es? Di, ¿te atreves a decirlo? ¿No es para ti un placer ser mi... mujer?

Lo sería.

Sabía que lo sería. Pero...

—No —dijo con fuerza—. No.

Omar sintió la sensación de que el suelo se le escapaba de los pies.

—Te ofrezco mi fortuna, mi persona.

—¿A cambio de qué? —le cortó con fiereza.

—De dejar tu nombre en buen lugar.

—No seas necio —y con sarcástica sonrisa que desconcertó a Omar—. No seas nunca un necio. A mí me importa un rábano tu fortuna, y en cuanto a mí… no me asustan las habladurías ni las murmuraciones. Estando bien yo con mi conciencia lo demás… es todo una majadería.

—Tu hermano, tu cuñada, todos… sabrán que has pasado la noche conmigo.

—¿Y qué? También lo sé yo —cortante— y sé lo que ha pasado y no ha pasado nada, y aunque tú intentaras que pasara, no pasaría. ¿Te das cuenta ahora?

Se la estaba dando.

Estuvo a punto una vez más, de confesarle su cariño, su pasión, el deseo que ella encendía en él, y a la vez la veneración por encima incluso de aquel deseo. Pero sería tanto como provocar la ira de aquella soberbia muchacha.

Por eso decidió tomarlo por lo sarcástico.

Se puso en pie, se asomó a la puerta y oteó la llanura.

—Parece que cesa de llover y que la luz del día asoma tras aquel valle. Me parece, Ingrid, que vas a tener que enfrentarte a un buen problema personal.

—¿Con la buena fama que tú tienes? —rió ella hiriente—, a nadie se le ocurrirá pensar mal. ¿No has caído tú en eso? Eres tan santo, tan honesto, tan generoso, tan virtuoso… Casi, casi te consideran un…

Se volvió furioso hacia ella.

—Dilo.

—¿Para qué, si tú ya conoces la definición? Me parece que te has pasado de la raya con tu maldita hipocresía, Omar Moore. Yo misma, desde mi dimensión femenina, prefiero que digan que me gustan los hombres, a que no me gusta nadie. Y de ti dicen...

—Cállate.

—¿Por qué te ofendes? ¿No te lo has buscado tú? Sólo unas cuantas mujeres te conocen. Las otras y yo, pero todos los demás, hasta casi te consideran una mujercita.

Amanecía.

Omar fue hacia ella como si fuese a fulminarla.

Pero al llegar a su lado, quedó inmóvil y mudo. La personalidad de Ingrid le desafiaba.

Le miraba de tal modo, que Omar no tuvo más remedio que frenar su irritación.

Pero sí dijo mansamente.

—De todos modos... basta con ésas que me conocen, que saben lo mucho que me gustan las mujeres, para que dejen correr la voz de que he pasado la noche contigo, y de que a mi lado una mujer... nunca está o debe estar tranquila.

Se oía el ladrar de los perros.

La bruma subía de la tierra y parecía formar montones de nubes sucias en torno a la maleza.

—Vienen por nosotros —dijo Ingrid tranquilísima, tirando de los hombros la zamarra masculina y poniéndose la suya.

—Tendré que darle una explicación a tu hermano.

—Huelga, por la parte que a mí respecta.

—Eres menor.

—No pensarás que por eso me vas a obligar a casarme contigo.

—Eso es lo que pienso hacer.

Kirt aparecía ya a la cabeza de un grupo de jinetes. Desmontó junto al cobertizo y miró a Omar de una forma rara.

—Buenos días —dijo Omar—. Nos ha pillado la tormenta y pasamos la noche aquí.

Kirt tenía el ceño fruncido.

Todos se miraban unos a otros. Y Omar dijo algo que desconcertó a todo el mundo.

—Le he dicho a Ingrid que me caso con ella y dice que no.

Kirt miró a su hermana con fiereza.

—Todo el mundo sabe... que has pasado la noche con un hombre.

Lo decía Kirt, como si Omar, en aquel momento, no fuese Omar.

—Tranquilízate, Kirt —sonrió Ingrid desdeñosa—. Omar es tal cual vosotros imaginabais. Un virtuoso que teme a las mujeres.

Omar dio un paso al frente. Pero no llegó a Ingrid, porque antes llegó Kirt.

Asió, a su hermana por el brazo, la sacudió y dijo furioso.

—Pareces una cínica. Pero eso no se va a ventilar aquí. Será en casa. Vamos. Monta sobre ese caballo.

Minutos después, todo el grupo regresaba a la casa de campo de Omar Moore.

Ingrid, en su caballo, sólo miraba al frente.

Iba a ser dura la batalla, lo sabía. Pero ella no cejaría en su empeño.

Así, no.

Con amor, todo. Por la fuerza, nada.

Y no creía a Omar Moore capaz de enamorarse de una mujer. A ella no la había tenido, pero si hubiese podido tenerla por amante, jamás la pediría en matrimonio. Y así… ella no entendía las cosas.

Cuando llegó a la casa no se detuvo. Sabía todos los comentarios que dejaba atrás, pero prefirió subir a su cuarto y tenderse en el lecho.

No para pensar.

Al contrario, para descansar la mente de aquel caso que zumbó en ella toda una noche, bajo un frío cobertizo.

Fue a la tarde cuando una doncella le dijo que mister Lewis y su esposa deseaban verla.

«Prepárate, Ingrid», se dijo a sí misma.

Y en alta voz admitió.

—Que pasen…

15

Kirt parecía un juez.

Renata una pobre mujer asustada.

Ella, Ingrid, tan tranquila.

—Bueno —dijo Kirt por todo saludo—. Hemos hablado largamente con Omar Moore. La situación es fea, comprometida. Desagradable. No estamos en Nueva York ni en Santa Fe. Entiende eso, Ingrid. Estamos en Prescott todos nos conocemos. Estoy seguro que a estas horas ya se sabe lo ocurrido en el pueblo y lo peor es que se sabrá aumentado y exagerado.

—Por supuesto.

—Por eso hemos decidido, Omar y yo, una rápida boda.

Antes de que Ingrid pudiera responder, Renata se acercó a ella y le puso una mano en el hombro con todo cariño.

—Tienes suerte, querida. Omar será un marido estupendo. Te lo mereces.

Era el colmo.

Encima la casaban con Omar, como si éste le hiciera un favor a ella.

Decidió tomarlo con calma.

Pero no pensaba decirles lo que ella sabía de Omar. Sería como lanzar suspiros al viento, porque nadie la creería.

—Ahí es nada —añadió Kirt a las palabras elogiosas de su mujer hacia Omar—. Convertirse en la esposa del hombre más rico de Javapai.

—Con lo cual —dijo Ingrid al fin— tú quedarás tranquilo.

—Se acallarán las lenguas.

—Lo siento, Kirt. Yo no temo a las lenguas. Nunca hice nada de lo que pudiera arrepentirme, y no voy a casarme para reparar un mal que no cometí. No, no me mires así. Por amor, podría casarme con Omar. Por deber, no voy a ser tan estúpida.

—Has pasado la noche a su lado.

—Bueno, ¿y qué? Igual la podía pasar con un gato y estaría igualmente segura. ¿Qué concepto tenéis vosotros de vuestro jefe? ¿No es un santo bajado del cielo? ¿Crees posible que tal santo dañe a una mujer?

—No, pero...

—¿Pero, Kirt?

Kirt sudaba.

Por supuesto que él no creía a Omar capaz de dañar a nadie. Pero el mismo Omar decía que… que…

—Suelta lo que sea, Kirt —se alteró Ingrid—. ¿Qué cosa te dijo Omar? Porque parece que en este instante te sientes acorralado.

—Yo nunca pensé que Omar… perdiera así… su buen sentido. Él dice…

—¿Qué dice?

Kirt no se atrevía a decirlo.

Pero Renata lo dijo.

—Omar se disculpa diciendo que el hombre es fuego, la mujer estopa, y que había mucho viento esta noche pasada.

—Ah… Omar dice eso.

—Sí —casi lloraba Kirt—. Yo no lo esperaba de él. Pero… pero…

—Y lo habrá dicho delante de todos.

—De todos, no, pero de los más allegados a él, sí. Roger, Robert, Dan… yo… Comprende, Ingrid. No tienes más remedio que casarte con él.

Ingrid movió la cabeza de un lado a otro.

No sabía qué pensar.

Que Omar era una bestia, sí que lo sabía. Un canalla sin escrúpulos, también. Pero un embustero vulgar… no.

—Está bien —decidió—. No me voy a casar, pese a todo. No sé por qué Omar os engañó. Pero de todos modos, prefiero discutirlo a solas con él. Me voy ahora mismo a Prescott. Si no te importa, tomaré tu auto, Kirt. Déjame pensar.

—Me da vergüenza salir, Ingrid.

—Pues rómpele la cara a Omar y acabamos antes.

—Si lo repara todo casándose contigo.

—No seas necio —gritó perdiendo el control—. Es mentira. Una vil mentira. Si me necesita, si me quiere, que lo diga. Pero casarme con él con un lastre que nunca he tenido sobre mí... no y mil veces no. Dile que le veré en la ciudad. Ahora mismo no sería capaz de verle con serenidad.

—Ingrid —intervino Renata—. ¿Qué os pasa a ti y a Omar?

—Somos iguales, ¿te parece poco?

—Pues si tú sabes que sois iguales, depón tu orgullo.

—¿Yo? Yo, no. Tendrá que hacerlo él. Dame las llaves de tu auto, Kirt.

Y Kirt, no supo por qué razón, se las dio.

Al rato se iba Ingrid.

Cuando Omar la atisbó, ya el auto se perdía por el sendero. Buscó a Kirt en el salón y le llamó aparte.

—¿Qué le pasa a tu endemoniada hermana?

—No se casa contigo —dijo Kirt ahogándose—. No quiere casarse. Dice que eres un embustero y que pasó la noche contigo como si la pasara con un gato.

Empalideció, enrojeció, y después casi se puso morado de humillación. Él un gato. Claro. Como un gato bobo se portó.

—Así que —decía Kirt más seguro de sí mismo—, dice que no se casa contigo. Que mañana hablaréis sobre el particular, pero que ahora necesita estar tranquila.

—O sea, que desdeña la boda que le ofrezco.

Renata, que entraba y lo oyó, se atrevió a decir con valentía.

—¿La quieres, o qué te pasa a ti, Omar? Yo empiezo a verte de otra manera a como siempre te vi.

—Vosotras, las mujeres —farfulló Omar perdiendo su correcta compostura— sois así de burras.

Y salió, dejándolos con la palabra en la boca.

—¡Ja, ja! —reía tío Ted—. Me alegro. Y ten por seguro que me alegro mucho. De modo que ni aun así te aceptó. Es una chica valiente. Muy valiente, Omar. Merece ser la mujer de un Moore.

—Al diablo —farfullaba Omar dando vueltas por el salón—. ¿Qué hago ahora?

—Con la cara descubierta tal vez adelantes más. Dile lo que sientes.

—No me da la gana.

—Pues aguántate.

—¿Es que no te das cuenta, tío Ted? No puedo pasar sin ella. Ha llegado a interesarme de tal modo, que... que...

—No te esfuerces. Se te nota. Lo raro es que no lo haya notado ella, y casi se me antoja que lo ha notado, pero te obliga a ir directo al asunto.

—No iré jamás.

—Pues pasa sin ella. Hay mujeres que se compran con un caramelo, y hay otras que no se compran con nada. Esta es Ingrid Lewis. Algún día tenías tú que tener delante una mujer así.

—Maldita sea.

—No me invites a tu boda, Omar —gritó el viejo tío viéndole irse hacia la puerta—. No me gustan los sentimentalismos, pero si un día consigues que sea tu mujer, ven y tráetela. Por conocer a una mujer así, merece la pena perder un poco de tiempo.

—Hum.

Salió.

Hacía horas que andaba como un loco por todo Prescott.

Tan pronto estaba en su casa dando voces desaforadas, a todos los criados, como en casa de su tío, como delante del chalet de los Lewis, sin atreverse a entrar.

Porque esperar que ella fuese al día siguiente a trabajar, al despacho como siempre, no había que esperarlo. No la consideraba tan valiente.

Al fin y al cabo, todo el mundo en las minas conocía el incidente, y no cómo tuvo lugar, precisamente, sino como a cada cual le daba la gana de expresarlo, y no era mujer Ingrid, por mucho que lo pareciera, que se atreviera a desafiar a todo el mundo.

Por eso fue mucha su sorpresa, cuando a la mañana siguiente, puntual, correcta y tranquila, apareció en la oficina.

Del salto, Omar se quedó erguido, mirándola como si Ingrid fuese un fantasma.

—Buenos días —saludó Ingrid serenamente.

Y con la misma serenidad, fue a colgar el zamarrón en el perchero.

Al volverse, se topó con Omar que la miraba boquiabierto.

—Es decir —balbuceó Omar— que sigues tan tranquila.

—¿Es que esperabas que me pusiera a llorar?

—Bueno, llorar tú... Así supieras. Eres más dura que un peñasco.

—Como tú, ni más ni menos.

—Ingrid... me da rabia que seas así. Y más aún que te sometas a las habladurías de todos. Y... y...

También a ella le daba.

No someterse a las murmuraciones necias. A verle a él. A comprobar una vez más, que jamás le diría que la amaba de veras y que no podía pasar sin ella, y que por eso hizo todo aquello.

Porque si un día le dijo que la quería y la necesitaba, fue con voz de sarcasmo. Nunca con sinceridad. Hay algo que no puede ocultarse, y es la verdad, cuando se siente en el fondo del alma. Así no la sentía aquel sádico.

Y lo peor es que ella... Bueno, para qué andarse con rodeos. Ella estaba loca por él, con ser tan golfo, tan hipócrita y tan... tan...

—Tú has dejado correr por ahí la versión a través de todas las mentiras de tu vida, de que eres un hombre incapaz de dañar a una mujer. Esa mentira se vuelve ahora contra ti. ¿No te das cuenta? Nadie cree que hayas abusado de mí. Y menos si yo me enfrento contigo y vuelvo a esa oficina. De modo que si no te importa, vamos a trabajar, o márchate si gustas, pero yo vengo aquí a cumplir con mi deber.

—O sea, que nada te intimida.

—Nada.

—¿Qué tengo que hacer?

—¿Hacer de qué?

—Para convencerte.

—Si te refieres a mi boda contigo... no creo que lo necesites. Si pudieras hacerme tu amante, ¿verdad que no te casabas conmigo?

—No —furioso.

—Pues ve pensando en pasar sin mí.

—Es que te ofrezco todo cuanto tengo.

—A cambio de ser tu amante.

—De ser mi esposa, puñetas.

—Así, no.

Omar iba perdiendo la paciencia.

—Una pregunta —dijo ahogándose y sin atreverse a acercarse a ella—. ¿Tú me quieres?

—Sí.

Así.

Con la misma valentía que estaba allí.

—De modo que tú... —parecía titubear—, estás enamorada de mí... y no quieres casarte conmigo.

Ingrid fue a sentarse ante su mesa.

Tuvo la paciencia de destapar la máquina.

Cierto, por dentro estaba temblando. Sí, sí, estaba loca por él, pero...

—Estoy enamorada de ti, sí, ¿qué pasa? Y no me caso contigo. ¿Te enteras?

Omar no sabía qué pasaba.

Pero estaba seguro de que pasaba algo.

Llevó la mano al pelo.

Y como no sabía qué decir, porque iba a estallar, se dirigió a la puerta y salió dando un portazo.

16

Pero antes de cinco minutos, ya estaba de regreso.

Cerró la puerta y quedó pegado a ella, con los dos brazos caídos a lo largo del cuerpo.

—No lo creo —dijo.

Ingrid enarcó una ceja.

—Te digo que nadie puede amar a una persona y decirlo así, como si se bebiera un vaso de agua sin tener demasiada sed.

—Como tú.

—¿Qué?

—¿Acaso no estás enamorado de mí, y pretendes apoderarte de mi pasión, basándote en un matrimonio por obligación?

—Eh… eh…

—Bueno, será mejor que lo dejes.

—Oye, Ingrid, tú… —volvió a titubear—. Tú supones que yo…

—Lo sé.

—¿Cómo que lo sabes?

—Te habrías enamorado ya de la primera mujer que hiciste tu amante, si se negara a serlo. ¿No sabías eso?

—¿Qué dices?

—Lo que oyes. No hace falta ser una sabia para adivinarlo. Ahora, si no te importa, déjame trabajar.

—Tú estás loca de remate, Ingrid. Enamorado yo de ti... Te deseo, te... todo eso, pero amarte... Bueno.

—Ah, como gustes.

Omar iba perdiendo la paciencia.

—¿Cómo puedes tú estar enamorada de mí y quedarte tan fresca?

No estaba fresca.

Estaba a punto de estallar de dolor.

Había lanzado aquel globo sonda, para saber hasta qué punto le interesaba a Omar, y por lo visto, sólo le interesaba como esposa-amante por la temporada que él quisiera. Así, no. O la amaba de verdad, como ella a él, o dentro de dos días, ella regresaría a Santa Fe y se olvidaría de aquella triste y terrible época de su vida.

No. No estaba fresca. Estaba, más bien, hecha polvo.

Pero nadie al verla lo diría.

—Y tú —le gritó a su vez— ¿cómo puedes desearme y quererme tanto, y mentir a todo el mundo lo que no ocurrió ni ocurrirá jamás?

—Lo reparo.

—Con mentiras viles muy propias de ti. Se acabó.

—¿Qué es lo que tú quieres de mí?

—Lo que yo te doy. Amor. Eso únicamente.

—Estás loca, Ingrid. Yo no soy de los que se enamoran.

—Pues yo sí.

—¿Cómo?

Le desafió con la mirada.

—Con todas las venas de mi ser.

Omar dio un paso al frente.

Pero ya Ingrid estaba puesta en pie, con la mano extendida entre ambos.

—Si me tocas, Omar... te caerá la silla encima.

Omar no dio su brazo a torcer.

Estaba a punto de caer a los pies de Ingrid, pero aún tenía fuerzas para resistir. De modo que, para evitar una claudicación, dio un paso atrás y salió del despacho, cerrando tras de sí la puerta con mayor fuerza aún.

El portazo resonó en todo el contorno.

Por primera vez en su vida, aquella chica de tremendo temperamento, dura y sensible dentro de su aparente rudeza, lanzó la mano a los ojos y limpió de un manotazo el nudo de lágrimas que los empañaban.

Y después, despacio, dándolo todo por perdido, vencida y aniquilada, se puso en pie y empezó a guardar sus cosas.

Ya no más allí.

Ya no más tensiones.

Lo iba a perder todo, pero lo perdía con entera dignidad.

Una vez tuvo cerrada la máquina y la zamarra puesta, lanzó una mirada en torno. La última mirada, y salió, cerrando tras de sí.

Caminó por el pasillo hacia los ascensores, como si le pesaran los pies.

Cerraba la puerta del ascensor, cuando de pronto...

Algo se precipitó a su lado.

Y alguien, asimismo, cerró la puerta del ascensor con fiereza.

Era él.

Omar Moore, pálido y con los labios fieramente apretados.

—Bueno, ¿qué? —farfulló.

—Nada.

—¿Adónde vas?

No se daba cuenta él mismo, pero su voz era menos dura. Menos violenta y nada irónica. Se diría que de súbito, la voz era su propio suspiro.

—Me marcho.

—Pero... ¿es que ya no... eres tan valiente?

—No.

Ocurrió algo grandioso.

Omar pasó los dedos por el pelo, y del pelo, un dedo fue a apretar el botón del ascensor.

—¿Qué haces? —preguntó ella.

—No sé. Volar por los aires —dijo como ahogándose—. No quiero llegar a parte alguna. Volar a tu lado, nada más.

Un silencio.

Después...

—Ingrid... has vencido. Has ganado. Has...

La tenía en sus brazos.

No supo en qué momento cayó ella en ellos, ni en qué momento él la oprimió, como si en su pecho él oprimiera la vida entera que le faltara en aquel momento.

—Ingrid...

No decía nada Ingrid.

Nada.

Iba a llorar si decía algo.

Por eso no podía decir nada.

—Querida... ya no puedo más.

Era otro tono. Otros besos. Otro hombre.

Ella también estaba al cabo de sus fuerzas.

Por eso abrió la boca.

Se besaron. Como locos. Como si lo descubrieran en aquel momento.

—Ingrid...

—Yo... —decía ella ahogándose— yo... yo...

—Dilo. Pero déjame decírtelo a mí primero. Estoy loco por ti. Loco por ti.

—También yo... yo... estoy loca por ti. ¿Oyes? Loca.

El ascensor subía y bajaba.

Los empleados que tenían que usarlo se impacientaban.

Alguien dijo desde un rincón.

—Es el jefe y la señorita Ingrid los que están dentro.

—Ah.

—Oh.

—Claro.

Y todo el mundo buscó otro ascensor.

Todos quedaban atrás.

Kirt, satisfecho de la boda. Renata toda enternecida. Roger algo despechado.

Pero nada de eso tenía importancia, para la pareja que en aquel instante, las diez de la noche, llegaba a la casa de campo de los Moore.

—Fuiste un terco.
—Pues mira que tú.
Reían ambos.
Estaban allí.
Era grato el lugar. Grata la penumbra, enloquecedor aquel querer atrevido de Omar.
—Eres un…
—Dilo.
—Un golfo.
Le gustaba serlo.
Y a ella le gustaba que lo fuese.
—Mañana iremos a aquel cobertizo.
—No.
—¿Eres tonta?
Lo era.
Para él, para su habilidad, era una ingenua.
Omar, a veces, a ratos, se reía de ella.
—Tanto que presumías de valiente.
Se metía en él.
Se pegaba a él.
—A tu lado…
—No te lo calles.
No se lo decía.
O si se lo decía, (se lo estaba diciendo) nadie, excepto él, la oía.
—Dime, anda…
Se lo decía otra vez, pero tampoco nadie la oía.
Él, sí.

Él, que la aferraba contra sí y le repetía por enésima vez.

—Estoy loco por ti. Y esto sí que es verdad. Creo que la única y más maravillosa verdad de mi vida. Bendigo la hora de aquel día en que te dejaron sola conmigo en mi despacho.

—Yo también… yo también…

Y nunca terminaba. Porque él ya sabía lo que iba a decirle, y le tapaba la boca con sus labios…